걸프 사태

재정지원 공여국 조정위원회 회의 1

걸프 사태

재정지원 공여국
조정위원회 회의 1

| 머리말

　걸프 전쟁은 미국의 주도하에 34개국 연합군 병력이 수행한 전쟁으로, 1990년 8월 이라크의 쿠웨이트 침공 및 합병에 반대하며 발발했다. 미국은 초기부터 파병 외교에 나섰고, 1990년 9월 서울 등에 고위 관리를 파견하며 한국의 동참을 요청했다. 88올림픽 이후 동구권 국교 수립과 유엔 가입 추진 등 적극적인 외교 활동을 펼치는 당시 한국에 있어 이는 미국과 국제사회의 지지를 얻기 위해서라도 피할 수 없는 일이었다. 결국 정부는 91년 1월부터 약 3개월에 걸쳐 국군의료지원단과 공군수송단을 사우디아라비아 및 아랍 에미리트 연합 등에 파병하였고, 군 · 민간 의료 활동, 병력 수송 임무를 수행했다. 동시에 당시 걸프 지역 8개국에 살던 5천여 명의 교민에게 방독면 등 물자를 제공하고, 특별기 파견 등으로 비상시 대피할 수 있도록 지원했다. 비록 전쟁 부담금과 유가 상승 등 어려움도 있었지만, 걸프전 파병과 군사 외교를 통해 한국은 유엔 가입에 박차를 가할 수 있었고 미국 등 선진 우방국, 아랍권 국가 등과 밀접한 외교 관계를 유지하며 여러 국익을 창출할 수 있었다.

　본 총서는 외교부에서 작성하여 30여 년간 유지한 걸프 사태 관련 자료를 담고 있다. 미국을 비롯한 여러 국가와의 군사 외교 과정, 일일 보고 자료와 기타 정부의 대응 및 조치, 재외동포 철수와 보호, 의료지원단과 수송단 파견 및 지원 과정, 유엔을 포함해 세계 각국에서 수집한 관련 동향 자료, 주변국 지원과 전후복구사업 참여 등 총 48권으로 구성되었다. 전체 분량은 약 2만 4천여 쪽에 이른다.

2024년 3월

한국학술정보(주)

| 일러두기

· 본 총서에 실린 자료는 2022년 4월과 2023년 4월에 각각 공개한 외교문서 4,827권, 76만 여 쪽 가운데 일부를 발췌한 것이다.

· 각 권의 제목과 순서는 공개된 원본을 최대한 반영하였으나, 주제에 따라 일부는 적절히 변경하였다.

· 원본 자료는 A4 판형에 맞게 축소하거나 원본 비율을 유지한 채 A4 페이지 안에 삽입 하였다. 또한 현재 시점에선 공개되지 않아 '공란'이란 표기만 있는 페이지 역시 그대로 실었다.

· 외교부가 공개한 문서 각 권의 첫 페이지에는 '정리 보존 문서 목록'이란 이름으로 기록물 종류, 일자, 명칭, 간단한 내용 등의 정보가 수록되어 있으며, 이를 기준으로 0001번부터 번호가 매겨져 있다. 이는 삭제하지 않고 총서에 그대로 수록하였다.

· 보고서 내용에 관한 더 자세한 정보가 필요하다면, 외교부가 온라인상에 제공하는 『대한 민국 외교사료요약집』1991년과 1992년 자료를 참조할 수 있다.

| 차례

정 리 보 존 문 서 목 록					
기록물종류	일반공문서철	등록번호	2012090479	등록일자	2012-09-15
분류번호	772	국가코드	XF	보존기간	영구
명 칭	걸프사태 재정지원 공여국 조정위원회 회의, 1990-91. 전6권				
생 산 과	북미1과/경제협력2과/중동2과	생산년도	1990~1991	담당그룹	
권 차 명	V.1 제1-2차, 1990				

내용목차	1. 제1차, 1990.9.26(Washington,D.C.)
	   * 신명호 재무부 국제금융국장 등 참석
	
	2. 제2차, 1990.10.12(Washington,D.C.)
	   * 수석대표 : 권병현 외무부 페르시아만사태 대책반장				

1. 제1차, 1990. 9. 26 (Washington, D.C.)

0002

외 무 부

종 별 :

번 호 : CNW-1287   일 시 : 90 0827 1700

수 신 : 장 관(중근동,미북,정일)

발 신 : 주 카 나 다 대사

제 목 : 이락사태(15)

    1. 멀루니 수상은 8.26. 이락 및 쿠웨이트로부터 요르단으로의 피난민 지원을 위해 250 만 카불 수준의 긴급 원조를 제공할 것이라고 발표함. 동 원조자금은 유엔 재해구제기구(UN DRO), 국제적십자사등 국제기구를 통해 지원될 것이라함.

    2. 한편, 주 쿠웨이트 카나다 대사관은 이락측의 외교특권 불인정, 단전, 단수조치에도 불구 6 명의 외교관이 대사관내 체류하면서 계속 근무중인것으로 알려지고 있음.(이락 군대는 8.24. 카 대사관을 일시 포위한바 있었으나 그후 대사관 출입금지를 선언하고 대사관 100 미터 외곽으로 철수 했다함). 또한 카 정부는 이락측의 쿠웨이트 주재 외교관에 대한 처우 및 쿠웨이트 주재 대사관 폐쇄시까지 카 외교관의 이락출국 불허조치등에 관해 8.25. 재차 주이락 대사대리를 통해 이락 외무부에 항의를 전달했다 하며, 이와 관련 오타와 주재 이락 대사관의 인원 감축요구등 보복조치 계획은 현재로선 없다고 함. 끝

    (대사 - 국장)

    예고문 : 90.12.31. 까지

중아국 대책반	장관	차관	1차보	2차보	미주국	정문국	청와대	안기부

관리 번호	90-1862

외 무 부

종 별 : 지 급

번 호 : UKW-1768　　　　　　　　　일 시 : 90 0918 1220

수 신 : 장관(미북,중근동,구일)

발 신 : 주 영 대사

제 목 : 데이락 제재조치 참여국원조

대: WUK-1568

연: UKW-1721

1. 대호관련, 9.17(월) 브럿셀에서 개최된 EC 외상회의는 20 억불 규모원조의 구체적 내역에 관해서 합의에 달하지 못한 것으로 보도됨. 특히 영국과 화란은 EC 의 원조액에 관한 발표를 연기하도록 요구하였으며, 각국 외상들은 피해국들의 소요에 관한 보다 정확한 평가를 촉구함.

2. HURD 영국외상은 일본이 원조액을 배증시켰으며, 오지리, 스위스 같은 부국이 다소나마 기여할 것이므로 당초 EC 예산에서 7 억 5 천만 ECU(5 억 22 백만 파운드, 약 10 억불)를 기여하고, 동일한 액수를 회원국으로 부터 갹출하려던계획은 재검토되어야 한다고 주장함과 더불어 영국이 군대 파병으로 1 일 2 백만 파운드의 부담을 안고 있음을 강조함.

3. DELORS EC 집행위원장은 9.17(월) 회의에서 EC 가 원조액을 확정하지 못한데 유감을 표명했으나, HURD 외상은 원조내역에 관한 EC 내 합의가 2 주일내 가능할 것이라고 전망했으며, DE MICHELIS 이태리 외상(의장국)도 금월말까지 원조안건을 마무리 지을 예정이라고 밝힘.

4. 영국정부는 자국이 부담할 수있는 원조내역에 관해서 현재 밝히지 않고있으며, 다른 나라들의 동향과 EC 내 협의결과에 따라 결정될 것이라는 입장을 취하고 있음.
끝

(대사 오재희-국장)

예고: 90.12.31 일반

미주국 대책반	차관	1차보	2차보	구주국	중아국	정문국	청와대	안기부

관리 번호	90-1163

외 무 부

종 별 : 긴급

번 호 : ECW-0617

일 시 : 90 0918 1630

수 신 : 장관 (미북)

발 신 : 주 EC 대사

제 목 : 걸프사태 관련 EC 원조계획

대: WEC-0510, 0511

연: ECW-0614, 0616

1. 대호관련, EC 12 개국은 9.17. 외무장관 회의에서 EC 집행위측이 작성한15 억 ECU (19 억 5 천만불 상당) 원조계획안을 검토하였으나, 영. 불. 화란 등이 EC 측의 구체적 원조규모 결정에 있어 걸프지역에 군사력을 파견한 EC 회원국의 군사비지출과 여타 제 3 국의 원조공약등을 감안하여야 할것이라고 주장함으로써 금번 회의에서는 원조규모에 대하여 합의를 보지 못하고 9 월말 이전까지 최종결정을 내리기로 하였음. 또한 EC 회원국들은 EC 집행위에 이집트, 요르단, 터어키에 대한 지원소요액 산정을 UPDATE 할것과 제 3 국및 국제기구가 발표한 원조공약등에 관한 자료를 조속 제출할것을 요청하였음

2. EC 집행위의 전선국가에 대한 원조계획안 상세는 연호 ECW-0614(9.14) 로 보고한바 있으며, EC 측 지원규모가 결정되는대로 추보위계임. 끝

(대사 권동만-국장)

예고: 90.12.31 까지

미주국 대책반	장관	차관	1차보	2차보	중아국	정문국	청와대	안기부

PAGE 1

90.09.19   02:36

외신 2과 통제관 CW

0005

외 무 부

종 별 :

번 호 : IDW-0308   일 시 : 90 0918 1410

수 신 : 장관(미북,구일)

발 신 : 주 아일랜드 대사

제 목 : 대 이라크 제재 조치 참여국 원조

대:WID-0299

1. 대호 전선국가에 대한 경제 원조 규모는 9.17. 자 EC 외무장관 회의에서토의 되었으나 전선 국가들의 피해액 및 원조 규모에 대한 각국간 의견 차이로동 규모를 결정하지 못하였다 함. 따라서 주재국의 원조 규모도 아직 결정되지못한 상태라 함.

2. 한편 언론 보도에 의하면 9.12. 자 TROIKA 외무장관 회의에서 아일랜드 정부 분담액은 400 만불로 거론된 바 있으나 EC 전체 차원의 원조액이 결정되지 아니한 현시점에서 동 액수는 정확하지 아니한 것이라함.

3. 상기와 별도로 주재국 정부는 8.25. 부터 긴급 구호기금(요르단의 난민 구호 목적)으로 95,000 미불 상당을 원조하였고 9.17. 부터 170,000 불 상당을 추가 원조 계획이라 하며, 아일랜드 적십자사가 난민 구호활동을 위하여 100,000 미불 상당을 원조 계획이라함. 끝.

(대사 민형기-국장)

예고:90.12.31. 까지

미주국   차관   1차보   구주국   중아국   정와대   안기부   대책반

외 무 부

종   별 :
번   호 : NRW-0573   일   시 : 90 0918 1500
수   신 : 장관(구이,경이,중근동,기정동문)
발   신 : 주 노르웨이대사
제   목 : 주재국의 이라크.쿠웨이트 사태관련 구호기금

　　주재국은 9.14. 이라크 쿠웨이트 사태관련 이집트.요르단.터키내 구호활동및 이라크.쿠웨이트에 있는 아시아 노동자 본국 송환을 위하여 50백만 크로나를 사용하고 동사태로 경제적 고통을 당하고있는 아시아 4개국 (방글라데시.인도. 파키스탄.스리랑카)에 60백만 크로나를 지원하는 방안을 협의 하였다고 발표함. 동협의방안이 실시될 경우 주재국은 이라크.쿠웨이트 사태 발생 초기의 16백만 크로나지원금을 포함하여 총 126백만 크로나 (21백만 미불상당)를 지원하게 되는 것임.

　　끝

　　(대사 김정훈-국장)

요 중 갑경예.

관리번호	10-1784

원 본

외 무 부

종   별 : 지 급

번   호 : GEW-1592   일   시 : 90 0920 1130

수   신 : 장관(미북,중근동,구일)

발   신 : 주 독 대사

제   목 : 페루시아만 사태관련보고

　　　　대:ZWGE-1356,1286

　　　　연:GEW-1567

　　당관 이공사는 금 9.20. 외무성 DASSEL 중동과장과 면담, 표제건에 관하여 의견교환을 가진바 하기보고함(권세영 서기관 동석)

　　1. EC 회원국이 지원키로한 19 억 5 천만불중 독일의 분담규모는 21 프로이며, 지원방법은 상품또는 식량원조의 형태가 될것이라함

　　2. 독일의 페르시아만사태와 관련한 지원액은 총 33 억 마르크로서 14 억 마르크는 이집트, 요르단, 터키에 상품지원의 형태로, 약 10 억 마르크는 식수운방장비, 교량가설장비, 특수차량등 군수지원에 사용되며, 2 억불은 60 대의 화생방 탐지용 FUCHS 장갑차(대당 300 만 마르크)및 동차량운행 훈련경비로 지원된다함

　　3. 쿠웨이트에는 현재 독일대사관 지원 5 일(대사부부및 통신사, 경호원)및 약 100 명의 독일인이 머물고 있는바 금일 35 명을 각자 의향에 따라 선발, 바그다드로 수송 철수예정이라고 함. 쿠웨이트에는 이락군이 외국인 거주지역에 가택수색을 통하여 외국인이 발견될 경우 이들을 이락내 주요시설로 보내어 민간방패막으로 사용하고 있다고함. 대사관과 외무성간은 특수무선라디오로 교신하고 있고 대사관과 쿠웨이트내 독일인 사이에는 워키토키로 상호 연락을 취하고 있다고함

　　4. 걸프만사태 해결전망에 관한 질문에 대하여 동과장은 현재 사태가 극히 악화되어 해결의 실마리를 찾기 어려운 실정임을 강조하고, 동인의 견해로는 1-2 주내 전쟁이 일어날 것으로 전망한다고 하면서 전쟁만이 동사태 해결을 위한 방법이라고 언급하면서, 금일 아침 뉴욕대표부로부터 입수된 전문에 의하면 유엔안보리는 세계각국 항구에 정박중인 모든 이락선박 육류, 공중봉쇄(AIR EMBARGO)실시 및 이락인의 자산동결등 초강경조치를 내용으로하는 결의안을 채택할 것이라고

미주국	장관	차관	1차보	2차보	구주국	중아국	청와대	안기부

PAGE 1

첨언하였음

5. 동과장으로부터 아국의 지원에 관한 문의 있었는바, 지원내용 참고로 통보바람

(대사 신동원-국장)

예고:90.12.31. 까지

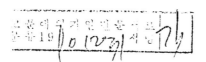

관리 번호	PO-1PPO

원 본

외 무 부

종 별 :

번 호 : HOW-0384   일 시 : 90 0919 1700

수 신 : 장관(미북)

발 신 : 주 화란 대사

제 목 : 대 이락 제재 조치 원조

대:WHO-0263

1. 대호 관련 주재국 외무성측에 의하면 이집트등 전선국가들에 대한 주재국의 경제원조내용은 아직 결정된 바 없으며, 9월말경 확정될 예정이라 함.

2. 동 관련 사항 결정되는 대로 파악 보고 예정임. 끝.

(대사 최상섭-국장)

예고:90.12.31. 까지

미주국   중아국   대책반

PAGE 1   90.09.20   06:18

외신 2과 통제관 CF

0010

외 무 부

종 별 : 긴 급

번 호 : DEW-0398   일 시 : 90 0919 1730

수 신 : 장관(미북,중근동,구이)

발 신 : 주 덴마크 대사

제 목 : 대 이라크 제제조치 참여국 원조

대:WDE-0315

연:DEW-0369,375

1. 당관 추서기관은 9.19. 주재국 외무부 JENS FAERKEL 아주.중동 과장을 접촉, 이집트등 걸프만 사태 전선국가에 대한 EC 집행위원회의 대호 경제원조 제안과 관련한 주재국 입장을 문한바, 동 과장은 동 EC 집행위원회 제안에 대해 EC회원국간 최종적인 합의가 이루어지지 않았으며 이는 주로 걸프만에 직접 군대를 파견하고 있는 영국과 불란서가 각국 분담금 결정에 군대파견 비용이 고려되어야 한다고 주장하고 있기 때문이라고 말함.

2. ELLEMANN-JENSEN 주재국 외무장관은 최근 주재국이 EC 공동 경제원조에 2억 5천만 크로너(약 4천만불)를 분담할것이라고 언급한바, FAERKEL 과장은 외무장관의 이러한 발언은 주재국 정부가 EC 의 공동 경제원조에 참여하는 명목금액을 제시한 것일뿐이며 EC 회원국안 원조총액, 국별 분담액및 지원 방법이 합의가 되어야 주재국의 분담방안도 구체화될것이라고 말함.

3.FAERKEL 과장은 또한 주재국이 이미 요르단및 이집트에 지원 결정한 연호총 4천만 크로너는 상기 공동원조와는 별개로 난민구호를 위하여 주재국 정부가 독자적으로 지원하는 것이라고 말함.

4. 한편 ELLEMANN-JENSENN 외무장관은 상기 2 항 2 억 5 천만 크로너를 기책정된 대개도국 개발원조 예산중에서 전용, 충당할 것이라고 시사한바, 이에대해 연정 구성 정당의 하나인 진보당이 반대하는등 주재국 정부내에서도 아직 논란의 여지가 있는 것으로 보임. 끝.

(대사 장선섭-국장)

예고:90.12.31. 일반

| 미주국 | 차관 | 1차보 | 구주국 | 중아국 | 정와대 | 안가부 | 대책반 |

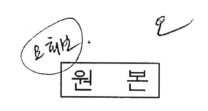

관리 번호	(handwritten)

외 무 부

종 별 : 지 급

번 호 : POW-0496   일 시 : 90 0919 1900

수 신 : 장관(미북,구이,중근동)

발 신 : 주 폴투갈 대사

제 목 : 대이라크 제재조치 참여국 원조

대:WPO-0278

1. 대호 당관 주참사관이 9.19 주재국 외무성 JOSE MANUEL BULHAO MARTINS 중동 마그레브 국장을 방문 문의한바, 주재국측은 EC 집행위가 대호 이집트, 요르단 및 터키 3 개국에 대한 EC 의 지원문제를 논의한것은 사실이나, 동 논의에서는 이들 국가에 대해 경제원조를 한다는 기본원칙만 결정되었을뿐 총체적 원조규모나 국별 분담규모, 지원방법등은 결정된바 없다고 말함(EC 본부측의 주재국앞 9.18 자 전문을 참조하며 언급). 동인은 앞으로 본건 관련 진전사항이 있을시 주재국 관련사항을 알려 주겠다고 하였음

2. 본건 추후 지넌사항을 추가 확인 보고 예정이나 EC 본부 및 여타국으로 부터 입수된 구체적 사항이 있으면 지급회시 바람. 끝

(대사 유혁인-국장)

예고:90.12.31 일반

미주국   구주국   중아국   대책반

PAGE 1   90.09.20   06:34

외신 2과 통제관 CF

0012

	분류번호	보존기간

발 신 전 보

WPO-0283   900920 1918 DY

번   호 :   종별 :

수   신 : 주   폴투갈   대사.총영사

발   신 : 장   관   (미북)

제   목 : EC의 대전선국가 지원 문제

대 : POW-0469

1. 대호, EC 집행위원회는 9.12. EC 12개국이 19억 5천만불을 이집트, 터키, 요르단에 지원키로 제의하였는 바, 동 지원액의 반은 1991년 EC 예산으로, 나머지 반은 회원국의 기부금으로 충당토록 하는 것임.

2. 9.17. EC 외상회의에서 상기 EC 집행위측의 원조 계획안을 검토 하였으나 영.불.화란등이 EC측의 구체적 원조 규모 결정에 있어 걸프지역에 군사력을 파견한 EC 회원국의 군사비 지출과 여타 제3국에 대한 원조 공약등을 감안하여야 할 것을 주장하여 원조 규모에 대한 합의를 못보고 9월말 이전까지 최종 결정을 내리기로 하였다함. 끝.

(미주국장 반기문)

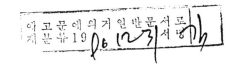

앙고재	90년9월20일	북미과	기안자 오갑열	과 장	국 장	차 관	장 관	보안통제	외신과통제

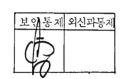

0013

분류번호	보존기간

발 신 전 보

WBG-0461   900921 1520 DP

번   호 : _____   종별 : _____

수   신 : 주 이라크 대사. 총영사

발   신 : 장 관   (미북)

제   목 : 걸프만 사태(경비 분담 문제)

1.   미국 Brady 재무장관은 9.6.- 7. 간 방한. 노태우 대통령 예방시 (1)
"페"만 군사작전에 소요되는 경비 일부와 (2)경제 제재 조치로 인해 경제적 피해를
입고 있는 국가(이집트, 터키, 요르단 3개국을 거명)들에 대한 경제원조를 제공
해 줄 것을 요청한 바 있음.

2.   미측은 대이라크 경제제재로 인해 경제적으로 심한 피해를 입고 있는
국가들에 대한 원조로 금년중 35억불이 소요되고 내년중 70-80억불이 소요될 것이며,
또한 미국의 중동 파병으로 매월 30억불 정도의 경비가 소요된다고 설명하고,
한국정부가 북한과의 긴장 상태하에서 여러가지 어려움이 있을 것으로 예상되나
아국의 적극적으로 지원해 줄 것을 요청하였음.
3억 5천불은

3.   정부는 한.미 기존 우호 관계를 감안하여 동 경비 분담 문제를 긍정적으로

검토중인 바, 경비분담 규모 및 지원 내역 등이 결정되는 대로 귀관에 통보 예정임.
9. 24. 일경 발표될 것인바, 들 발표가 있는바 국제공수 이중에 대한
4.   상기 내용은 귀관의 참고로만 하기 바람. 끝.   태도경화가 예상되므로
이미 대한 대비책을
조통이 강구해 두시기
(차관 유종하) 바람

예고 : 90.12.31. 일반

중동아국장:

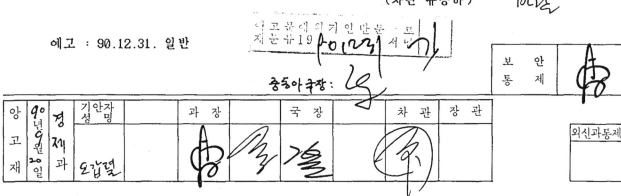

양 고 재	90년 9월 20일	정제과	기안자 성명 오갑렬		과 장	국 장		차 관	장 관	

외신과통제

0014

관리
번호 90-1992

외 무 부

종 별 : 지 급

번 호 : GRW-0474

일 시 : 90 0921 1600

수 신 : 장관(미북)

발 신 : 주 희랍 대사

제 목 : 대이라크 제재조치 참여국 원조

대: WGR-0326

1. 대호 재정원조에 대하여 주재국은 아래와 같은 입장을 주장하여 수락되었다고 보도되었음.

가. 대 이라크 제재조치로 인한 경제적 손실에 대하여 이집트, 요르단, 터키 뿐만 아니라 희랍등 다른나라도 보상을 요청할수 있다.

나. 터키에 대한 재정원조는 군사적 목적을 위해 사용할수 없다.

다. 희랍이 동원조에 참여할 경우에 희랍의 공여분은 요르단 및 이집트에 주어질것임.(터키는 제외)

2. 희랍의 재정지원 공여 여부는 수상이 일본방문에서 귀임한후 결정될것이나 희랍 자신이 EC 로부터 매년 상당액의 재정지원을 받고 있으며, 희랍 자신도 피해 당사자로서 보상을 받아야 한다고 주장하고 있는 점등으로 보아 희랍이 동 재정지원 계획에 실질적인 공여를 할것으로는 보이지 않으나 본건 계속 조사 보고하겠음.

3. 9.21 당지 ANA 통신은 EC 가 상기 3 개국에 750 백만 ECU 는 COMMUNITY AID 로, 750 백만 ECU 는 BILATERAL AID 로 공여 할것을 고려하고 있다고 보도함. 끝.

(대사-국장)

예고:90.12.31 까지

미주국	차관	1차보	2차보	구주국	중아국	정와대	안기부	대책반

90.09.21 22:35
외신 2과 통제관 DO

0015

관리
번호 PO-2081

외 무 부

원 본

종 별 :

번 호 : BBW-0726

일 시 : 90 0920 1730

수 신 : 장 관(미북,구일,중근동,기정)

발 신 : 주 벨기에 대사

제 목 : 대이라크 제재조치 참여국 원조(자료응신 71호)

대:WBB-0651, 연:BBW-0695

1. 대호, 그간 주재국 외무부 관계자들을 접촉, 탐문한 바에 의하면 주재국 정부는 아직까지 전선국가들에 대한 경제원조의 규모 및 방법에 대해 구체적 결정을 내린 바는 없으나, 기본입장은 경제원조에 관해서는 EC 의 결정에 부응, 적정한 책임 분담을 하겠다는 것으로 보임.

2. 주재국 외무부 관계자에 의하면, EC 는 지난 9.7 및 17 일 외무장관 회의를 통하여 사실상 전선국가들에 대한 91 년말까지 경제원조 규모를 15 억 ECU(19 억 5 천만불 상당), 이중 절반은 EC 예산(각국의 EC 예산 분담율에 의해 비용부담, 벨기에의 경우 약 3%), 나머지 절반은 EC 각국이 직접 양자관계 차원에서 지원하는 것으로 콘센서스가 이루어졌다 함. 다만, 개별국가의 직접 지원분에 대한 분담 비율결정과 관련, 영국 및 불란서등 군사비 지출 감안을 주장하는 국가와 아일랜드, 덴마크등 이에 반대하는 국가들의 의견대립과 지금까지 각국이 독자적으로 양자관계 차원에서 시행해온 각종 원조를 상기 EC 차원 원조에 어떻게 산입하느냐 하는 문제에 대한 이견으로 공식 결정은 9 월말까지로 연기되었으나 대체적으로 군사비 지출을 감안, 군사 지원을 하지 않은 국가들은 예산 분담율보다 다소 높은 수준으로 개별 경제지원규모를 정하는 방향으로 합의가 도출될 것으로 보고있음.

3. 따라서 주재국의 경우, 91 년까지 EC 분담금으로 약 3 천만불 정도를 부담하고 전선국가들에 대해서도 그와 비슷한 규모의 원조(구체적 방법 미정)을 시행할 것으로 분석됨. 끝

(대사 정우영-국장)

예고:90.12.31. 일반

예고문에 의거 일반문서로
재분류 19

미주국 대책반	장관	차관	1차보	2차보	구주국	중아국	청와대	안기부

PAGE 1

90.09.21 02:05

외신 2과 통제관 EZ

0016

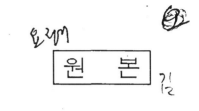

관리	
번호	90-2698

외 무 부

종 별 :

번 호 : JAW-5719   일 시 : 90 0921 2121

수 신 : 장관(미북, 아일, 중근동, 정일)

발 신 : 주 일 대사(일정)

제 목 : 일본의 비용분담

　　대 : WJA-3910

　　연 : JAW-5541, 5582

　　1. 일정부는 9.21 각의에서 8.30 발표한 다국적군 지원 10 억불(제 1 차분)중 9 억불(1,228 억 8 천만엥)을 페르샤만 협력회의(GCC)에 설치될 '페르샤만 평화기금'에 갹출하기로 정식 결정하였음. 동 각의에서는 또한 이를 위해 9.21. 중으로 리야드에서 GCC 측과 교환공문에 서명하기로 하는 한편, 나머지 1 억불에 대해서는 일본이 직접 운용하여 의료단의 파견 및 일정부가 차용한 항공기, 선박의 비용에 충당하기로 결정하였음.

　　0 상기 교환공문에 의하면, '페르샤만 평화기금'은 리야드의 GCC 본부에 설치되고, 운용. 관리는 주사우디 일본대사와 GCC 사무국장등 쌍방의 대표로 구성되는 '운용위원회'가 담당하기로 되어 있다고함.

　　0 한편, 일정부는 동 위원회로부터 기금의 사용보고를 받게 되지만, 현재 동 위원회의 상세한 멤버, 구성 및 기금사용 절차등은 미결정으로 가능한 조속히 결말을 지을것이라고 함.

　　2. 상기 1 항, 일정부 각의결정의 상세내역은 다음과 같음.

　　0 수송협력(민간항공기, 선박 차용경비) : 118 억 2 천 8 백만엥

　　0 의료협력(100 명을 목표로 한 의료단을 파견할 체제정비 경비) : 8 억 5 천 3 백만엥

　　0 물자, 자금협력 (GCC 평화기금에의 갹출금) : 1,228 억 8 천만엥

　　0 기타 의료단의 인건비등 : 14 억 3 천 9 백만엥

　　3. 한편, 추가지원금 10 억불(제 2 차분)의 내역은 금번에 결정되지 않았지만, 10 억불의 반이상 대부분이 '평화기금'에 갹출될 것으로 전망된다고 함을 첨언함. 끝

미주국 안기부	장관 대책반	차관	1차보	2차보	아주국	중아국	정문국	청와대

(공사 김병연-국장)
예고 : 90.12.31. 일반

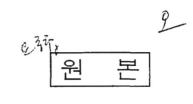

관리 번호	ㅏ-1783

원 본

외 무 부

종 별 :

번 호 : SPW-0551

일 시 : 90 0920 1600

수 신 : 장관(미북)

발 신 : 주 스페인 대사

제 목 : 대이라크 제재조치 참여국 원조

대: WSP-0461

1. 당관 홍공사가 9.19. 주재국 외무성 EC 총국 BAUZA 담당관에게 확인한바, 대호 원조액 19 억 5 천만불(15 억 ECUS)이 상금 확정된 액수는 아니며, 9 월중 확정될 예정이라고함.

2. 동인은 또한 스페인의 분담규모는 EC 12 개국 분담총액의 약 7 프로가 될것으로 전망한다고하고 구체사항은 9.27. 이후 결정될것이라고 말하였기 우선 보고하며, 관련사항 추보하겠음.

(대사-국장)

예고 1990.12.31 일반

미주국

PAGE 1

90.09.21   01:36

외신 2과   통제관 EZ

0019

원 본

외 무 부

종 별 :

번 호 : ECW-0626   일   시 : 90 0920 1730

수 신 : 장관 (미북,구일,중근동,봉이)

발 신 : 주 EC 대사

제 목 : 걸프사태 관련 EC 원조계획

대: WEC-0510, 0511

연: ECW-0614, 0617

  1. 대호관련, 당관 윤종곤서기관은 금 9.20. EC 집행위 사무총장실 CUNHA 정무협력
담당관과 접촉, EC 측의 이집트, 터키, 요르단등 전선국가 원조계획 추진방안을
타진한바, 동담당관은 지난 9.17. EC 외무장관 회의에서 EC 전체의 원조규모 합의
미도달로 각 회원국별 분담금액은 아직 결정되지 않았으나 EC 집행위로서는 내년도 EC
예산에서 7 억 5 천만 ECU (약 10 억불) 지원 목표를 계속 고수할 계획임을 언급함

  2. 동담당관에 의하면 EC 집행위측은 상기 3 개 전선국가에 대한 원조방법에 있어
기보고한바와 같이 총 지원금액은 2/3 (5 억 ECU) 는 GRANT 로, 1/3 (2 억 5 천만
ECU) 는 차관형태로 할것을 제의한바 있으나, 지원대상국의 경제사정을 감안할때
GRANT 분을 더욱 증가해야 한다는 의견이 제시되고 있다함. 또한 EC각 회원국의
지원방법은 최종적으로 회원국들 자신이 결정하겠지만 EC 집행위측으로서는 가급적
무상원조분이 많이 포함되는 방향으로 건의 예정이라 함

  3. 동 담당관은 또한 EC 측의 전선국가 원조계획에 대한 최종결정은 9.17.
외무장관 회의시 9 월말까지 내리기로 합의한바 있으나 이의 공식적 발표는 10.6-7
베니스 개최 EC 외무장관 회의에서 행해질 것으로 전망함. 끝

  (대사 권동만-국장)

  예고: 90.12.31 까지

미주국   차관   2차보   구주국   중아국   통상국

PAGE 1   90.09.21   01:34

외 무 부

종 별 : 긴 급

번 호 : USW-4348   일 시 : 90 0925 1801

수 신 : 장 관 (미북,경기)

발 신 : 주 미 대사

제 목 : GULF CRISIS FINANCIAL COORDINATION GROUP

상기 자료 별첨 송부함.

첨부: USW (F)-2368

(대사 박동진-국장)

미주국   경제국   1차보

PAGE 1

0021

90.09.26   22:02 FC

외신 1과 통제관

GULF CRISIS FINANCIAL COORDINATION GROUP

OBJECTIVES

o Maintain and support U.N. economic sanctions toward Iraq.

o Demonstrate international resolve in mobilizing financial
   assistance for front lines states and other countries
   seriously affected by the Gulf crisis.

o Establish a loose coordinating process to secure
   appropriate responsibility-sharing among creditors/donors,
   encourage an adequate distribution of assistance to
   individual front line states, and -- for the medium-term --
   support economic policy reform where appropriate.

o The process must ensure that decision-making remains in the
   hands of creditor governments. The IFIs should, however,
   be asked to provide analytical and technical advice.

o Provide a stream-lined, efficient coordinating process,
   without a new bureaucracy, by having officials of
   participating governments work closely in Washington.

o Actively pursue at the IMF/World Bank Annual Meetings
   modification in IMF policies to increase the timely
   availability of IMF resources for countries seriously
   affected by the crisis. (It is not ruled out that we may
   wish to consider expanding the list of countries receiving
   exceptional assistance; however, this remains for further
   consideration.)

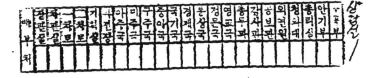

0022

PURPOSE OF GULF CRISIS FINANCIAL COORDINATION GROUP

o   Coordinate exceptional financial resources to the front
    line states and other countries seriously affected by the
    Gulf crisis.

o   Members of the Coordination Group will together apply
    political conditionality on both the short- and medium-term
    assistance.

o   Assistance for disbursement by end-1990 will be provided on
    an unconditional economic basis. As we move into 1991,
    consideration could be given to associating appropriate and
    realistic economic reform commitments.

        In some cases countries may have or wish to pursue
        regular IMF/World Bank programs. I other cases,
        however, such programs may be unrealistic and
        consideration may need to be given to shadow programs
        or other variations on that approach.

        Whatever approach to adopted, it is important to avoid
        rigid adherence to formal, inflexible linkage to the
        IMF or World Bank.

o   Facilitate the use of existing and possibly additional
    financial resources of the IMF and the World Bank as
    appropriate.

o   Disbursement of these exceptional financial resources is
    intended to be in reaction to the current Gulf crisis and
    not designed to address individual countries' underlying
    balance of payments problems and financing gaps, which must
    be dealt with by other means and through other channels.
    At the same time, financial conditionality on other flows
    (IMF, World Bank and bilateral aid) are not to be affected
    by this program.

STRUCTURE AND OPERATIONS

The Coordination Group will articulate broad policy guidelines
and coordinate assistance to each recipient country. The Group
will be chaired by a USG Treasury Department official with a
USG State Department official as deputy chair. Decisions
regarding disbursement will be made by donor governments and,
in some cases, may involve channeling assistance to specific
countries.

The Coordination Group will consist of a Managing Committee and
a Secretariat. The Managing Committee will be composed of
finance ministry and foreign ministry officials from key
creditors.

2368 - 2

The Secretariat will provide technical and analytical support for the Managing Committee and will have no decision making responsibilities.

Membership in Coordination Group

o   United States

o   Saudi Arabia, Kuwait, UAE, Qatar, and the Gulf Cooperation Council (GCC).

o   Germany, United Kingdom, Italy, France, Japan, Canada, the EC, Korea and possibly other new creditors.

o   The IMF and World Bank will provide technical advice and analytical support.

Initial Meeting of Coordination Group

o   The purpose of the first meeting of the Coordination Group would include:

   Agreement on the Managing Committee/Secretariat structure of the Coordination Group.

   Agreement on the coordination and measurement of bilateral flows.

   Consideration of methods to disburse funds. Among the approaches (in addition to bilateral transfers) to be evaluated would be a common account or support fund.

Managing Committee

o   The Managing Committee will consist of finance ministry and foreign ministry officials from the United States and other key creditors. A USG Treasury Department official will chair and a USG State Department official will serve as deputy chair.

o   The members of the Managing Committee will be the chief point of contact with their governments.

o   The Committee would be expected to operate with Washington-based officials.

o   The Managing Committee will take into consideration analytical and technical advice provided by the IMF and the World Bank.

o   Based on guidance provided by authorities from creditor capitals, the Managing Committee will guide disbursements and take into account political considerations which may be relevant.

2368 -3

o The Managing Committee will, in consultation with their respective authorities:

schedule meetings of the *Coordination Group;*

analyze and evaluate incremental financial needs of the front line states and of others directly and seriously affected by the Gulf crisis; analyses of the financial needs of recipients will draw on preliminary work done by the USG.

coordinate bilateral and, where appropriate, collective assistance among the recipients based on guidance from the Coordination Group; and

consider, as appropriate, association with IMF/World Bank supported economic reform measures for disbursements in 1991, but avoid rigid adherence to formal, inflexible types of linkages.

o Monitor utilization of assistance by recipients.

Secretariat

o Based on input from creditor countries, the IMF and World Bank could serve as the Secretariat. Their role will be limited to technical and analytical support.

o A senior official will be designated by the Coordination Group as Executive Secretary.

o The Secretariat, in a manner which assures coordinated input from the World Bank and IMF, will develop recommendations concerning economic policy measures so that assistance be consistent with and support the recipients' stabilization and adjustment objectives.

Doc #1500

2368 — K

0025

원 본

외 무 부

종 별 : 지 급

번 호 : USW-4351 일 시 : 90 0925 1820

수 신 : 장관(미북,경기,통일,재무부)

발 신 : 주 미 대사

제 목 : 페만 사태 피해국 재정 지원 조정 그룹 창설

대 WUS-3167

연 USW-4338

1. 국무부 MCALLISTER 경제 차관보는 금 9.25 한국 및 일본, 영국, 독일, 프랑스, 카나다, 이태리, EC, GCC, 사우디, 쿠웨이트, 카타르, UAE 대사관의 경제 담당관들을 초치, 중동 전선국가등 피해국들에 대한 재정 지원을 총괄하기 위한 목적의 "GULF CRISIS FINANCIAL COORDINATION GROUP" 창설 계획에 관한 미측 초안(별전 FAX)을 배포하면서, 명 9.26 미 재무부에서 MULFORD 재무차관 주재(MCCORMACK 국무부 경제 차관 CO-HOST)로 개최 예정인 동 GROUP 제 1 차 회의에 대표를 참석시켜 줄것을 요청해왔음.

2. 금일 브리핑에서 일부 국가는 지나치게 성급한 미측의 동 GROUP 창설 추진(미측은 금일 오전에야 각국 공관에 금일 회합의 통보)저의에 대한 질문을 한바 이에 대해 MCALLISTER 차관보는 페만 사태 피해국 경제 상황의 긴박성, 원조국들이 단합된 결의를 표명해야할 긴급한 정치적 필요등을 언급했음. 그러나 실제로는 IMF, IBRD 등 국제 기구를 통해 페만사태 피해국에 대한 재정 원조를 통합 시키자는 논의가 제기되고 있음과 관련, 정치적 LEVERAGE 의 상실을 우려하는 미측이 페만 사태 관련국 원조는 경제적 고려보다 정치적 고려를 우선해야한다는 것을 내세우면서 동 GROUP 창설을 서두르게 된것이라는 관측도 있음.

3. 미측 제안상 동 GROUP 은 미 재무차관을 의장으로, 국무부 경제 차관을 부의장으로 하여 상기 1 항 13 개 국가 및 국제 기구 대표로 구성하고, 산하에 각국 재무, 외무부 관리로 구성되는 운영위(동 운영위 멤버는 본부 직원이어 하는지, 공관 직원도 무방한지에 관한 질문에 대해 MCALLISTER 차관보는 공관 직원도 무방하다고 답함)와 사무국을 설치할 예정임.

미주국   차관   1차보   2차보   경제국   통상국   재무부

90.09.26 23:44

외신 2과 통제관 DO

0026

4. 명 9.26 첫 회의 관련 별첨 초안(USW(F)-2368)에 대한 본부 입장 조속 회시 바람. 특히 미측 제안상의 첫회의 토의 예정 사항(동 그룹의 구조, 동기구에 양자간 재정원조 통합 조정 기능 부여여부, 재정 지원 통합 계정 설치 문제등)에 대한 본부 방침 회시 바람(다만, 미측은 동 그룹 창설이 주목적이므로 첫회의에서 그룹의 기본 구조 외의 문제에 대한 결정은 서두르지 않을것으로 보임)

(대사 박동진-국장)

90.12.31 일반

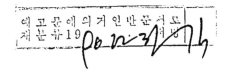

GULF CRISIS FINANCIAL COORDINATION GROUP

OBJECTIVES

o   Maintain and support U.N. economic sanctions toward Iraq.

o   Demonstrate international resolve in mobilizing financial
    assistance for front lines states and other countries
    seriously affected by the Gulf crisis.

o   Establish a loose coordinating process to secure
    appropriate responsibility-sharing among creditors/donors,
    encourage an adequate distribution of assistance to
    individual front line states, and -- for the medium-term --
    support economic policy reform where appropriate.

o   The process must ensure that decision-making remains in the
    hands of creditor governments. The IFIs should, however,
    be asked to provide analytical and technical advice.

o   Provide a stream-lined, efficient coordinating process,
    without a new bureaucracy, by having officials of
    participating governments work closely in Washington.

o   Actively pursue at the IMF/World Bank Annual Meetings
    modification in IMF policies to increase the timely
    availability of IMF resources for countries seriously
    affected by the crisis. (It is not ruled out that we may
    wish to consider expanding the list of countries receiving
    exceptional assistance; however, this remains for further
    consideration.)

0028

PURPOSE OF GULF CRISIS FINANCIAL COORDINATION GROUP

o   Coordinate exceptional financial resources to the front
    line states and other countries seriously affected by the
    Gulf crisis.

o   Members of the Coordination Group will together apply
    political conditionality on both the short- and medium-term
    assistance.

o   Assistance for disbursement by end-1990 will be provided on
    an unconditional economic basis. As we move into 1991,
    consideration could be given to associating appropriate and
    realistic economic reform commitments.

        In some cases countries may have or wish to pursue
        regular IMF/World Bank programs. I other cases,
        however, such programs may be unrealistic and
        consideration may need to be given to shadow programs
        or other variations on that approach.

        Whatever approach to adopted, it is important to avoid
        rigid adherence to formal, inflexible linkage to the
        IMF or World Bank.

o   Facilitate the use of existing and possibly additional
    financial resources of the IMF and the World Bank as
    appropriate.

o   Disbursement of these exceptional financial resources is
    intended to be in reaction to the current Gulf crisis and
    not designed to address individual countries' underlying
    balance of payments problems and financing gaps, which must
    be dealt with by other means and through other channels.
    At the same time, financial conditionality on other flows
    (IMF, World Bank and bilateral aid) are not to be affected
    by this program.

STRUCTURE AND OPERATIONS

The Coordination Group will articulate broad policy guidelines
and coordinate assistance to each recipient country. The Group
will be chaired by a USG Treasury Department official with a
USG State Department official as deputy chair. Decisions
regarding disbursement will be made by donor governments and,
in some cases, may involve channeling assistance to specific
countries.

The Coordination Group will consist of a Managing Committee and
a Secretariat. The Managing Committee will be composed of
finance ministry and foreign ministry officials from key
creditors.

0029

The Secretariat will provide technical and analytical support
for the Managing Committee and will have no decision making
responsibilities.

Membership in Coordination Group

o   United States

o   Saudi Arabia, Kuwait, UAE, Qatar, and the Gulf Cooperation
    Council (GCC).

o   Germany, United Kingdom, Italy, France, Japan, Canada, the
    EC, Korea and possibly other new creditors.

o   The IMF and World Bank will provide technical advice and
    analytical support.

Initial Meeting of Coordination Group

o   The purpose of the first meeting of the Coordination Group
    would include:

        Agreement on the Managing Committee/Secretariat
        structure of the Coordination Group.

        Agreement on the coordination and measurement of
        bilateral flows.

        Consideration of methods to disburse funds. Among the
        approaches (in addition to bilateral transfers) to be
        evaluated would be a common account or support fund.

Managing Committee

o   The Managing Committee will consist of finance ministry and
    foreign ministry officials from the United States and other
    key creditors. A USG Treasury Department official will
    chair and a USG State Department official will serve as
    deputy chair.

o   The members of the Managing Committee will be the chief
    point of contact with their governments.

o   The Committee would be expected to operate with
    Washington-based officials.

o   The Managing Committee will take into consideration
    analytical and technical advice provided by the IMF and the
    World Bank.

o   Based on guidance provided by authorities from creditor
    capitals, the Managing Committee will guide disbursements
    and take into account political considerations which may be
    relevant.

0030

o   The Managing Committee will, in consultation with their
    respective authorities:

        schedule meetings of the Coordination Group;

        analyze and evaluate incremental financial needs of
        the front line states and of others directly and
        seriously affected by the Gulf crisis; analyses of the
        financial needs of recipients will draw on preliminary
        work done by the USG.

        coordinate bilateral and, where appropriate,
        collective assistance among the recipients based on
        guidance from the Coordination Group; and

        consider, as appropriate, association with IMF/World
        Bank supported economic reform measures for
        disbursements in 1991, but avoid rigid adherence to
        formal, inflexible types of linkages.

o   Monitor utilization of assistance by recipients.

Secretariat

o   Based on input from creditor countries, the IMF and World
    Bank could serve as the Secretariat. Their role will be
    limited to technical and analytical support.

o   A senior official will be designated by the Coordination
    Group as Executive Secretary.

o   The Secretariat, in a manner which assures coordinated
    input from the World Bank and IMF, will develop
    recommendations concerning economic policy measures so that
    assistance be consistent with and support the recipients'
    stabilization and adjustment objectives.

Doc #1500

0031

	분류번호	보존기간

발 신 전 보

번 호 : WUS-3182   900926 1855 DY   종별 : 긴급

WUN-1495

수 신 : 주   미   대사. 총영사 (사본 : 장관-주유엔대사 경유)

발 신 : 장 관 대리 (미북)

제 목 : 페만 사태 분담금 공여국 회의

1. 주한 미대사관 통보에 의하면, 미 정부는 9.26(수) 14:30 재무성에서 Mulford 재무차관 및 McCormick 국무성 경제 차관 공동 주재로 Gulf Crisis Financial Coordinating Group 간의 제1차 회의를 개최할 예정이라고 함.

2. 동 회의에는 최근 베이커 국무 및 브래디 재무장관이 순방한 국가와 지원 공여 표명국의 고위 재무 관리들이 참석 예정이라하며, 동 문제의 정치적 중요성에 비추어 각국 외무성 고위 관리들도 참석해 주기를 희망하고 있다함.

3. 이와관련 현재 귀지 개최 IMF 총회에 참석하고 있는 재무부 대표단을 접촉, 상기 걸프만 사태 관련 회의에 참석토록 조치 바라며 귀관에서도 적절한 수준에서 참석 바람.

4. 한편 본부는 9.27(목) 16:30 페만사태 지원 세부 집행 계획 수립을 위한 관계부처 국장급 회의를 개최 예정인바, 동 관계부처 회의시 참고할 수 있도록 상기 회의 결과를 보고 바람. 끝.

예고문에 의거 일반문서로
재분류 19

(차관 유종하)

예고 : 91.6.30. 일반   토 필 (19

| | 보안통제 | |

앙고재	90년 9월 28일	북미과	기안자성명	김유현		과장 신의관		국장	제1차관보 출자0 전결	차관	장관

외신과통제

| 관리 번호 | 90-2121 |

외 무 부

종 별 :

번 호 : UKW-1838 　　　　　　　　　　 일 시 : 90 0926 1840

수 신 : 장관(미북,중근동,구일,통일,사본:주EC대사)(중계필)

발 신 : 주 영 대사

제 목 : 걸프사태관련 지원

　　　본직은 9.25(화) 주재국 보수당소속 구주의회 JAMES MOORHOUSE(대외경제위원회) 의원을 초청 오찬을 가진바, 동 의원은 걸프사태와 관련 하기요지 언급하였으니 참고바람.

　　　1. 구주의회 시찰단의 일원으로서 지난주 중동제국을 방문했는 바, 구주의회에서는 현재 걸프사태 관련 대책을 협의중이며 특히 피해전선국에 대한 원조방안에 관해 많은 논의가 진행되고 있음.

　　　2. 피해전선국에 대한 지원이 효과적으로 실시되기 위해서는 원조제공국간 긴밀한 협의하에 수원국의 소요, 원조내역 등에 대한 조정이 긴요할 것으로 사료되고 있으며, 구주의회 내에서는 G-24 보다는 별도의 원조국간 협의체(CONSORTIUM)를 구성하는 방안이 거론되고 있는바, 한국도 그러한 협의체에 참여함이 바람직할 것으로 봄.

　　　3. 전선국중 요르단은 유엔의 경제제재 조치에 불응, 이락에 대한 대규모 물자수송을 용인하고 있으므로 난민구제 목적의 긴급원조를 제외하고는 요르단에 대한 경제적 지원은 하지 않는것이 옳다고봄. 끝

　　　(대사 오재희-국장)

　　　예고: 90.12.31 일반

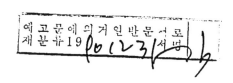

| 미주국 | 차관 | 1차보 | 2차보 | 구주국 | 중아국 | 통상국 | 청와대 | 안기부 |

외 무 부

종 별 : 지 급

번 호 : USW-4372   일 시 : 90 0926 1947

수 신 : 장관대리(미북,경기,통일,재무부)사본장관(주유엔대사 경유)-직송필

발 신 : 주미대사

제 목 : 페만사태 분담금 공여국 1차 회의

연 USW-4351

대 WUS-3182

1. 표제 회의는 연호 15 개국 및 EC, GCC 대표단 전원이 참석한 가운데 MULFORD 재무차관 주재로 약 2 시간 반 동안 개최되었으며, 아국은 IMF 총회 참석중인 신명호 재무부 국제 금융 국장, 당관 허노중 재무관및 김중근 서기관이 참석함.

2. MULFORD 차관은 개회사를 통해 페만 사태 해결을 위하여는 정치적 방안(POLITICAL OR UN PILLAR), 군사적 방안(MILITARY PILLAR)이외에 전선 국가에 대한 경제적 지원을 통해 UN SANCTIONS 을 보다 실효화 할수 있는 경제적 해결 방안(ECONOMIC PILLAR)이 필요함을 역설함. 또한 동 차관은 부쉬 대통령이 작일 IMF 총회 환영사에서 동 COORDINATION GROUP 의 설립을 발표하면서 전선 국가에 대한 실효적이고(EFFECTIVE) 시의 적절한(TIMELY)지원이 이루어 지기를 기대한다고 언급한것을 상기 시키면서 분담금 공여국들이 단합과 전진의 정신(SENSES OF UNITY AND PROGRESS)으로 협조해 주기를 요청함.

3. 회의 참석국 대표들은 미국이 회의 소집 방식등 동 그룹의 운영을 일방적으로 주도하는데 대해 다소 불만을 표시하기 하였으나, 지원 대상 공여국 선정,지원 기간등 주요 사안에 있어서는 미국의 INITIATIVE 에 일단 따르기로 함. 주요 협의 및 결정 사항은 하기와같음.

  O 구체적 방안 추진에 있어 융통성을 부여하고 금번 협의체는 다소 신축적으로 운영함(공식적, 상설기구 성격 지양)

  O 전선국가의 범위를 일단 이집트, 터키, 요르단으로 한정토록 양해

  O 지원 시기는 단기적으로는 90 년 연말까지, 중기정로는 91 년까지로 구분하여 긴급히 지원이 필요한 분야에 대해서는 연말까지 지원

미주국   차관   2차보   경제국   통상국   재무부

O IMF/IBRD 가 전문적, 기술적 지원 담당

O 차기 회의를 90.10.12(금) 개최키로 잠정 결정

4. 아국 대표는 지원 방안을 수립함에 있어 공여국의 특수사정을 감안하여 방법및 내용상에 융통성을 부여할것과 원조의 효율성 제고를 위해 가급적 수혜자의 입장을 참작토록 하는것이 좋을것이라고 발언함.

5. MULFORD 차관이 금일 회의 결과를 PRESS RELEASE 코자 한데 대해 프랑스등 일부 EC 국가는 특이할 만한 결과가 없는 첫번째 회의에서 PRESS RELEASE 하는데 대해 이의를 제기하였으나, INFORMAL PRESS GUIDANCE 라는 명칭으로 일단 기자들에게 배포키로함(동자료 FAX 송부)

6. 금일 회의에서는 MANAGING COMMITTEE 의 구성및 운영 절차에 관하여는 미측으로부터 구체적 제안이 없었는바 여사한 문제에는 차기 회의(10.12)에서 논의될것으로 예상됨.

첨부 USW(F)- 2385

(대사 박동진-차관)

예고: 91.6.30 일반

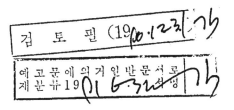

PAGE 2

INFORMAL PRESS GUIDANCE

President George Bush yesterday announced the formation of a Gulf Crisis Financial Coordination Group to assure effective and timely financial support to the countries most seriously affected by the Gulf crisis. An initial meeting was held today at the U.S. Treasury Department. It brought together senior representatives of the countries providing assistance to the front-line states. It was chaired by David C. Mulford, Under Secretary of the Treasury for International Affairs, with Richard T. McCormack, Under Secretary of State for Economic Affairs, serving as Deputy Chairman. The meeting was attended by senior representatives from Belgium, Canada, France, Italy, Japan, Germany, Korea, Netherlands, Sweden, Switzerland, United Kingdom, Kuwait, Qatar, Saudi Arabia, United Arab Emirates, European Commission, and the Gulf Cooperation Council.

It was agreed that the unjustified invasion of Kuwait must not stand, and that economic assistance to the most seriously affected states is a critical element of the global strategy to isolate Saddam Hussein and is an important complement to the economic sanctions which have been voted by the United Nations.

The Group was united in its commitment to provide promptly assistance to the front-line states. The Group agreed on the need for flexible coordination in the provision of financial assistance.

It was agreed that a committee will meet to review various technical issues related to the coordination process. In this connection, the Group invited the International Monetary Fund and the World Bank to provide technical assistance and analytical support.

It is envisioned that the Group will reconvene on or about October 12, 1990.

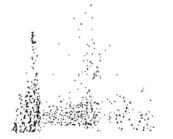

걸프사태 재정지원 조정 그룹 창설안 검토

예고문에 의거 재분류 (1990.12.31.)
직위   성명

1990. 9.

미 주 국

보기 미측제안 개요

(목 적)

o 중동 전선국가(Front Line States)등 걸프사태 피해국가에 대한 재정
   지원을 총괄 조정하기 위하여 'Gulf Crisis Financial Coordination
   Group' 창설

(구 성)

o 미, 한, 일, 영, 독, 불, 카, 이태리, EC, 사우디, 쿠웨이트, 카타르,
   UAE 및 GCC등 14개국가 및 국제기구 참가

o 미 재무차관을 Group 의장, 국무부 차관을 부의장으로 관련국, 국제기구
   참가

o IMF 및 IBRD는 기술적 조언과 분석등 지원

(조직, 운영 기능)

o 운영위원회 : 참가국 재무부 및 외무부 대표로 구성
   - 수원국에 대한 원조지원 조정운영(정치적 고려 병행)
   - 재정지원 수요 증가의 분석, 평가(재정수요는 일차적으로 미 정부에
     의해 분석)
   - 수원국의 원조 사용 감독

o 사무국 : IMF와 IBRD를 사무국으로 활용
   - 기술적이고 분석적인 지원에 국한

0038

제1차 회의 개최(9. 26) 결과

o   미측, '페'만 사태 해결 위한 정치적, 군사적 방안 이외에 전선
    국가에 대한 경제적 지원을 통해 유엔 제재조치를 보다 실효화
    할 수 있는 경제적 해결방안의 필요성 강조

o   주요 협의. 결정 사항

    -   구체적 방안 추진에 있어 융통성 부여(공식적, 상설기구 성격 지양)

    -   전선국가 범위를 우선 이집트, 터키, 요르단 3국으로 국한

    -   지원시기는 단기적으로 90년말까지, 중기적으로 91년가지 구분

    -   제2차 회의를 10. 12(금) 개최키로 잠정 결정

    ※   회의 참석국 대표들은 미국의 일방적인 회의소집 운영등 주도에
        다소의 불만을 표시하였으나, 지원대상 공여국 선정, 지원기간등
        주요사안에 있어서는 미국의 제안에 일단 응하기로 함

미측의도 및 배경

o   긍정적으로 보아 전선국 재정지원 문제를 효율적으로 조정 운영하려는
    노력의 일환으로 평가
    -   유엔 재제조치의 효율화를 위한 경제적 해결방안 강구 노력

o 그러나 Gulf 사태 관련, 재정적 원조에 대한 미국의 주도적 역할 확보 의도도 내재

　- 일본, 서독등의 IMF, IBRD등 기존기구를 통한 지원 선호 동향을 사전에 무산시키려는 의도

o 또한 '페'만 사태의 장기화에 대비, 미국 주도하의 다자간 협력체를 사전 구축하려는 의도도 있을 것으로 평가

　- 점증하는 비용을 관련국에 분담시키고, 필요시 중동 안보체제 구축을 위한 사전 포석으로 연결될 수 있는 장치 마련

　　┌─────────────┐
　　│ 아국 입장 검토 │
　　└─────────────┘

o 원칙적으로 아국의 정치, 경제적 능력 범위내에서 수원국에 대한 직접 지원규모와 방식을 취해나가는 것이 바람직

　- 양자관계와 다국적 노력간의 균형을 취할 필요

o 여사한 조정기구 창설이 '페'만 사태의 조기해결에 도움이 된다면, 동 Group 창설에 반대할 이유 없음

　- 이 경우에도 지원방법, 내용에 있어서 원조 공여국의 입장에 대해 융통성이 부여되는 협의회 성격의 장치가 적합

0040

조치 방향

o 차기회의(10. 12)에서 필요시 아래와 같은 아국입장을 밝힘

- '페'만 사태의 조기해결을 위해 도움이되는 협의장치 마련에
  기본적으로 동의

- 그러나 각국의 정치. 경제적 여건등 개별사정과 이문제의 한시적
  성격등을 감안하여, 구속력 있는 조직이 아닌 비상설 협의회의
  형식으로 운영함이 바람직

- 이 협의회에서는 원조국간의 관련 정보 교환 및 원조계획에 관해
  논의토록 하고, 기술적 조언 및 분석은 IMF/IBRD에 의존토록 함

- '페'만 사태의 추이와 동 협의회의의 운영경과등을 종합적으로
  고려하여 향후 협의장치의 발전을 검토토록 함

o 상기 일반적인 입장 표명과 아울러, 일본, 독일등 주요 원조 공여국의
  동향을 관찰하면서 아국의 입장을 구체화시켜 나감

0041

	분류번호	보존기간

발 신 전 보

번 호 : **WJA-4144** 900929 1631 DY 종별 :

수 신 : 주 일, 서독 대사. 총영사/

발 신 : 장 관 (미안)

제 목 : 걸프사태 재정지원 조정 그룹(가칭) 창설안

---

1. 미국은 중동전선국가등 걸프 사태 피해국가에 대한 재정 지원을
총괄 조정하기 위하여 일본, 서독, 한국, 영, 불, EC, 사우디등 14개국 및
IMF/IBRD가 참여하는 'Gulf Crisis Financial Coordination Group' 창설을
제의(운영위원회 및 사무국 설치 포함)하여 9.26. 제1차 준비회의를 워싱턴
에서 개최한데 이어, 10.12. 제2차회의를 개최키로 하였음.

2. 제1차 회의에서는 우선 전선국가 범위를 이집트, 터어키, 요르단등
3개국으로 하고, 지원시기를 단기(90년말까지), 중기(91년말까지)로 구분키로
하였음. 또한 조정그룹은 공식적 상설기구의 성격을 지양, 신축적으로 운영
키로 하였으며, 오는 제2차회의에서 조정그룹의 성격과 운영방법등에 관한
보다 깊이 있는 토의가 있을 것으로 예상됨.

예고문에의거 재분류(1990.12.31.)
직위   성명

/ 계속 ...

아주국장 :
구주국장 :

	보 안 통 제	

앙 고 재	90 년 9 월 29 일	안 보 과	기안자 성 명		과 장	심의관	국 장		차 관	장 관	

외신과통제

0042

3. 미국이 이러한 제의를 한 것은 페만사태 해결을 위한 효율적인 경제 지원제공과 동시, 각국이 제공하는 재원의 활용에 있어 미국이 주도적인 역할을 하려는 의도도 있는 것으로 보이는 바, 아국으로서는 아래와 같은 잠정적 평가를 가지고 있음.

　　　가. 페만사태의 조기해결에 도움이 된다면 원조공여국간의 협의 장치 마련에 기본적으로 동의함.

　　　나. 그러나, 각국의 정치.경제적 여건차이를 감안하여 구속적이 아닌 비상설협의회의 형식으로 운영함이 바람직함.

　　　다. 페만 사태 추이와 준비회의 논의 경과를 보면서 동 협의체 발전에 관한 보다 구체적인 입장을 수립함.

4. 상기 보다 구체적인 아측입장 정립 및 차기회의에서의 입장 표명에 참고코저 하니, 미측제의와 협의체 창설에 관한 귀주재국의 입장을 파악, 보고 바람(아국입장에 대한 문의가 있을 경우에는 3항의 잠정입장을 귀관 관계관의 개인적인 의견으로 하여 제시하여도 무방함). 끝.

　　　　　　　　　　　　　　(미주국장　반기문)

예고 : 90.12.31. 일반

外 　務 　部

관리번호 10-1005

종 별 :

번 호 : JAW-5995

수 신 : 장관(미안)

발 신 : 주 일 대사(일정)

제 목 : 걸프사태 재정지원 조정그룹 창설안

일 시 : 90 1002 1542

예고문에의거 재분류(1990.12.31.)
직위 　　　성명

대:WJA-4144

대호 관련, 이준일 참사관이 외무성 경제협력국 하야시 정책과장과 접촉, 파악한바를 아래 보고함.

1. 일본으로서는 미국의 제의에 전적으로 수긍하는 입장은 아니나, 전향적 자세에서 보아 구체화되면 <u>가능한 협조를 하고자 함.</u>

2. 연이나 현재로서는 아무런 사항도 구체화된 것이 없어 무어라 언급할 수가 없는 상황으로서 완전 OPEN 상태이며, 동 관련업무는 주 워싱톤 대사관에 일임하고 있음.

3. 동 그룹에서 제외된 국가와 동 그룹 창설계획에 유보적 의견을 가진 일부 EC 국가의 불만등 문제의 소지가 있으며, 일본으로서는 동 <u>그룹의 결정이 구속력을 갖는다는 것은 이를 반대하는 입장임.</u>

4. 현재로서는 동 문제를 심각히 검토할 단계가 아니라고 보며, 10.12. 예정 회의 결과를 보아가며 조정그룹 창설안에 대한 일본의 입장을 검토고자 함. 끝.

(공사 김병연-국장)

예고:90.12.31. 일반

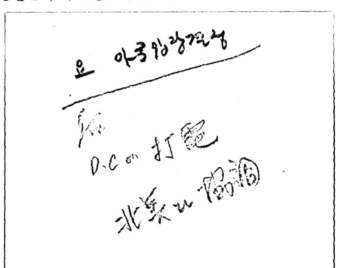

미주국	장관	차관	1차보	2차보	아주국	청와대	안기부

PAGE 1

90.10.02　16:01
외신 2과 통제관 BW

0044

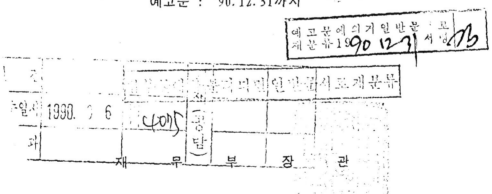

재　　　무　　　부

국기 22257-
(503-9264)
1990. 10. 5

수신　수신처참조

제목　페르시아만사태 금융지원조정그룹회의

　　　'90.9.26 미국 재무성에서 개최된 제1차 페르시아만사태 금융지원
조정그룹(Gulf Crisis Financial Coordination Group)회의 결과를 별첨과
같이 송부하오니 업무에 참고하시기 바랍니다.

첨부 : 1.　회의 결과 보고서 1부.
　　　 2.　언론배포문(영문) 1부. 끝.

　　　　　　　예고문 : '90.12.31까지

재　　무　　부　　장　　관

수신처 : 경제기획원장관, 외무부장관, 외환정책과, 국제금융과,
　　　　 해외투자과,

0045

IMF/IBRD 총회기간중 고위 실무자회의 참석결과 보고

1990. 10

재 무 부

0046

《 제1차 페르시아만 사태 금융지원 조정·그룹회의 》

장 소 : 미 재무성

일 시 : 9.26   14:20 - 17:00

참석자 : G-7국가, 사우디, 쿠웨이트, 아랍에미레이트, 카타르 등 중동
         산유국, 벨기에, 네델란드, 스웨덴, 스위스, 한국 등의 재무부
         및 외무부 고위 실무자와 EC 및 GCC(gulf 협력위원회) 대표

회의 배경 및 목적

- 9.25 미 Bush 대통령이 IMF/WB 년차총회에서 페르시아만 사태로 경제적
  타격을 입고 있는 주변국가에 대한 적기에 효율적인 지원을 하기위한
  조정그룹 창설 제의

- 주변국가에 대한 경제지원을 약속한 국가들간의 비 공식 그룹회의

제1차회의 경과 및 결과

- EC 및 EC 국가중 불란서, 이태리 대표는 EC는 EC차원에서 어느 국가에
  어느정도 경제지원을 할 것인가를 결정하게 될 것이라고 언급 하면서
  동 그룹회의 창설 자체에 유보적 견해를 표시

- 일본의 경우도 90년도 지원분 6억불은 일본 정부가 쌍무협의를 통해 지원
  될 것임으로 동 그룹에서 조정될 대상은 91년도 재원으로 하는 것이
  좋겠다는 견해 표명

- 이와는 반대로 서독, 영국등은 금년도 지원분에 대한 조정을 우선 협의
  대상으로 할 것을 제의

                              6-2   0047

- 지원 대상국은 원칙적으로 터키, 에집트, 요르단 등 주변 3국에 한정하되 극히 한정된 범위내에서 경제적 타격이 심한 일부 다른 국가 (중동 산유국은 시리아를 포함시킬 것을 주장)도 포함키로 함.

- 지원 대상국의 피해 규모를 산정하기 위하여 IMF 및 세계은행의 기술적 지원을 받기로 하고 이러한 기술적 사항과 조정 방법 등을 논의하기 위한 전문기술 소위원회를 구성 즉시 작업에 착수

- 경제지원의 효율성을 높이기 위하여 IMF 및 세계은행을 통한 기타 금융 지원과 금융지원 조건을 고려하여 지원방법을 조정

- 본 그룹회의에서의 조정은 각 공여국 및 수혜국의 사정을 감안 신축성 있게 운영 (아국 대표 주장 반영)

- 차기 조정 그룹회의는 와싱톤에서 10월 12일경 개최

0048

《 미 재무성 달라라 차관보 면담 》

일 시 : 9. 26일   17:00

아측 참가자 : 신명호 국제금융국장, 허노중 재무관

미 측 : 달라라 차관보
         Faulcling 부차관보
         Crawford
         Goodman

< 면담내용 >

1. Dalllara 차관보는 한국이 이락 쿠웨이트에 대한 금융자산 동결 문제와
   관련 동결 대상이 되는 자산이 없다는 이유로 자산 동결 방침을 명확히
   하고 있지 않는 점을 지적함.
   아측은 자산 동결대상이 되는 금융자산이 없으므로 이에 대한 조치
   필요성이 없으며 다만 국내 은행에 대한 참고 자료로서 미국 정부가
   분류해 놓은 금융자산 동결은행 목록을 국내은행에 대하여 적절한
   방법으로 통보 할 것임을 설명

2. 미측은 외국은행 문제와 관련 금융자유화 후퇴에 우려를 표명한 바
   아측은 최근 외국은행에 대한 은행 감독원의 검사와 이에따른 조치는
   일부 외국 은행이 은행감독원의 수차에 걸친 경고에도 불구하고
   계속적으로 외환 규정과 금융관행상 용납하지 않는 영업 행위를 계속
   하는데 따른 조치이며 금융자유화의 후퇴가 아님을 강조

3. 아측은 미 재무성의 의회에 대한 내국민 대우 보고서 초안이 한국에
   있는 일부 미국은행의 의견에 따라 편파적으로 작성된 점을 지적하고
   아측이 주한 미 대사관을 통하여 제출한 동 초안에 대한 아측 입장을
   최종보고서 작성시에 반영, 공정한 평가를 하도록 요구

0049

4. 미측은 최근 아국의 사치성 소비재 물품 수입억제운동을 수입 자유화의
   후퇴로 지적하고 이러한 조치가 빠른 시일내에 시정될 것을 희망.
   아측은 최근 문제되는 외국 사치성 수입물품 사용 자제 움직임은
   민간의 자발적인 사회 건전소비 운동이며 정부가 간여하지 않고
   있음을 설명함.

   또한 아측은 한국 정부가 미국등으로 부터의 수입을 촉진시키기 위하여
   특별 외화 대출등 유리한 수입 금융을 제공하고 있으며 그 결과 미국
   으로 부터의 수입이 금년중 13% 증가되고 있음을 지적하고, 소액의
   사치성 소비 수입 자제운동은 경제적 목적이 아닌 사회적 교육적 차원의
   민간운동 임을 설명.

5. 아측은 한미간 제1차 금융정책회의 이후 CD 발행한도의 증액, 자본금
   허용한도의 인상, 신탁업무 허용확대 방안의 수립 등 합의 사항의
   성실한 이행이 있었음을 설명

6. 양측은 제2차 금융정책회의를 서울에서 10.25~10.26간 개최키로 잠정
   합의하고 추후 상호 연락해서 확정키로 합의

September 26, 1990

INFORMAL PRESS GUIDANCE

President George Bush yesterday announced the formation of a Gulf Crisis Financial Coordination Group to assure effective and timely financial support to the countries most seriously affected by the Gulf crisis. An initial meeting was held today at the U.S. Treasury Department. It brought together senior representatives of the countries providing assistance to the front-line states. It was chaired by David C. Mulford, Under Secretary of the Treasury for International Affairs, with Richard T. McCormack, Under Secretary of State for Economic Affairs, serving as Deputy Chairman. The meeting was attended by senior representatives from Belgium, Canada, France, Italy, Japan, Germany, Korea, Netherlands, Sweden, Switzerland, United Kingdom, Kuwait, Qatar, Saudi Arabia, United Arab Emirates, European Commission, and the Gulf Cooperation Council.

It was agreed that the unjustified invasion of Kuwait must not stand, and that economic assistance to the most seriously affected states is a critical element of the global strategy to isolate Saddam Hussein and is an important complement to the economic sanctions which have been voted by the United Nations.

The Group was united in its commitment to provide promptly assistance to the front-line states. The Group agreed on the need for flexible coordination in the provision of financial assistance.

It was agreed that a committee will meet to review various technical issues related to the coordination process. In this connection, the Group invited the International Monetary Fund and the World Bank to provide technical assistance and analytical support.

It is envisioned that the Group will reconvene on or about October 12, 1990.

0051

2. 제2차, 1990. 10. 12 (Washington, D.C.)

0052

외 무 부

종   별 :

번   호 : USW-4482　　　　　　　　　일   시 : 90 1002 1949

수   신 : 장관(미북,경이,통일,재무부)

발   신 : 주 미 대사

제   목 : 페만사태 분담금 공여국 실무회의

　　　금 10.2. 15:00-17:00 간 연호 페만사태 1 차 조정위원회 (COORDINATING COMMITTEE) 에 이어 1 차 실무위원회 (MANAGING COMMITTEE, WORKING COMMITTEE, TECHNICAL COMMITTEE 등 다양하게 부르고 있으나 TECHNICAL COMMITTEE 로 부르기로 의견이 모아지고 있음) 가 재무부 회의실에서 DALLARA 재무부 국제경제 담당 차관보 및 MCALLISTER 국무부 경제담당 차관보공동주재로 개최된바, 당관에서는 최영진 참사관 및 허노중 재무관이 참석하였음.

　　　요지 하기 보고함.

　　　1. 참석국은 연호 이외에 스웨덴, 스위스, 벨지움, 네델란드 대표가 참석하였음.

　　　2. 의제 1 제 1 항(전선국가의 피해액 산출) 에 대하여는 동관련 문서(별첨 팩스 송부)를 제출한 IMF/IBRD 측의 설명이 있었고 이에 이어 각국의 의견 개진이 있었음. 산출액은 90 년 41 억불(터키 17, 이집트 11, 요르단 13) 91 년도 94 억불 (터키 42, 이집트 23, 요르단 29)임.

　　　가. 불, 영, 독등 구주 국가들은 동 도표중 귀국 실업자 구제(JOB CREATION), 관광수입 손실(TOURISM), 해외 근로자 송금 감소(WORKER'S REMITTANCE) 및 이라크로부터의 부채상환 손실(DEBT REPAYMENT) 등 항목에 대하여 적법성 및 산출근거에 대해 의문을 표시하며 이라크의 쿠웨이트 침공 이전에도 이미 송금 및 부채 상환등이 현저히 감소되고 있었던 사실 등을 지적함.

　　　나. 일본 대표는 구체적 항목에 대해서는 현단계에서 언급할수 없으나 정확한 수치 산출이 불가능한 점을 지적하면서 도표의 산출금액이 잠정적이며 개략적인 계산에 의한 것으로 받아들이고자 한다고 언급함.

　　　다. EC 대표는 사전 통고 없이 회의석상에서 즉석으로 서류를 나눠주고 COMMENT 를 요구하는데 대한 무리를 지적하며, 조건의 변화에 따라 수치 계산결과가 얼마든지

미주국	차관	1차보	2차보	경제국	통상국	정와대	안기부	재무부

바뀔것이므로 특히 91 년도 수치에 대해서는 현단계에서 신빙성을 부여하기가 어려움을 언급함.

라. 이에 대해 미국및 IMF/IBRD 측은 현단계에서 예상할수 있는 객관적인 조건에 의해 산출된 큰 무리없는 수치들이라는 설명이 있었음.

마. 결론적으로 각 참석국 대표들은 이번 회의가 결정권 없는 실무회의 이므로 본국 정부에 보고할 시간이 필요함을 지적, 10.9.15:00 제 2 차 실무회의를 개최키로 하고 그때까지 각국이 의견이 있을경우 이를 미측에 봉고키로 함.

이와관련 본부의견이 있을경우 10.9. 이전 당관에 봉보 바람.

4. 의제 2 항(90 년도 약속 및 이행금액 협의) 및 3 항(91 년도 계획에 관한 의견 교환) 은 실무차원에서 협의할 성질이 아니라는 의견이 다수 의견으로 대두하여 구체적 논의가 없었음. 다만 미측에서는 폐만 사건 관련국회의 의 목적이 이중 공여(DUPLICATION)를 막자는데 주목적이 있으며 이를 위하여 얼마만한 원조를 , 어느 국가에게 , 어떤 방법으로 (NATURE OF ASSISTANCE), 어느 기간에 할것인가 하는 4 가지 요소를 조정하는 것이 중요함을 설명함.

5. 의제 4 항(향후회의 일정) 에 대하여는 상기 10.9. 제 2 차 실무회의 개최(동 회의시까지 상기 IMF/IBRD 자료에 대한 의견 및 약속 및 이행금액을 밝히지 않은 나라는 동금액 봉보)하고 이를 토대로 10.12. 10:00 제 2 차 조정위를 개최키로 함.

(대사 박동진-차관)

90.12.31. 까지

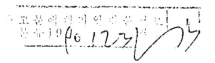

발신 : 주미대사
제목 : 대미사채   주공 공여국 회의

Incremental Financial Impact

Explanatory Notes

Note: The calculations in the attached table were made by Fund and Bank staff at the request of the U.S. Government, within the parameters outlined below. The purpose of the calculations is to provide an estimate of the potential direct financial impact on the three countries of the increase in oil prices, the disruption of economic ties in the region and the effects of economic sanctions. At this stage, the role of the Fund and the Bank staff has been limited to a preliminary calculation of the potential impact on the basis of specified assumptions (see below and in the detailed country notes to the tables).

-- The following broad assumptions were used for making the calculations.

-- Only incremental financial needs are shown in the table; underlying pre-crisis financing needs are not included.

-- First round or very proximate second round effects only are taken into account.

-- No reduction in financing needs from adjustment effects of new policy actions is taken into account.

-- The financial impact in 1990 is essentially extrapolated throughout 1991.

-- An oil price of $31/bbl is used for 1990/91. For illustrative purposes, two alternative prices and their effects on financing needs are shown as memo items to the table: a lower price of $25/bbl and a higher price of $35/bbl.

-- A number of other potential costs are not included: (1) export shortfalls due to: slower demand growth in third countries, loss of export competitiveness because of higher freight and insurance costs due to higher risk premiums and export production bottlenecks arising from economic disruptions; (2) higher freight and insurance costs in the services accounts; (3) higher interest payments on variable debt if world interest rates rise as a result of the inflationary effects of higher oil prices; (4) any adverse impact on foreign direct investment inflows due to higher uncertainties; (5) lost aid inflows from Kuwait; and (6) a number of country-specific costs (e.g. military relocation expenses in Turkey and the cost to Egypt of participation in the Gulf multinational forces. It is also recognized that there could be potential offsets either from more favorable than expected economic circumstances or from redirection of trade and factor flows.

October 2, 1990

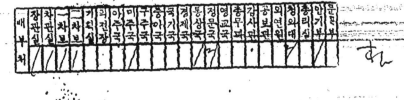

Estimates of Incremental Financial Impact of Middle East Crisis 1/

(In millions of U.S. dollars)

	1990			1991			1990-91		
	Turkey	Egypt	Jordan	Turkey	Egypt	Jordan	Turkey	Egypt	Jordan
Merchandise Costs									
Export losses	270	20	235	450	30	535	920	50	820
Higher oil bill	855	-395	125	2000	-890	295	2855	-1285	420
Service Costs									
Transportation	150	100	100	375	250	250	525	350	350
Contractor fees	50	100	200	125	250	500	175	350	0
Workers remittances	50	600	200	125	1300	475	175	1900	700
Tourism	150	200	275	360	400	135	510	600	750
Other services	0	100	54	0	240	135	0	340	185
Capital Account Costs									
Lost debt repayments	100	—	110	600	—	145	700	—	255
Other Costs 2/	50	400	220	—	670	595	50	1070	815
Refugee repatriation	0	75	20	—	—	—	50	75	20
Refugee subsistence	90	200	100	—	50	20	50	250	120
Job creation	0	125	100	—	620	575	—	745	675
Total with oil at $31/BBL	1675	1125	1365	4235	2250	2920	5910	3375	4295
Total Ann'l			4165			9415			13580
Total with oil at $25/BBL	1250	1205	1102	3235	2680	2783	4485	3985	4085
Total Ann'l			3857			8698			12555
Total with oil at $35/BBL	1965	995	1405	4900	1960	3030	6865	2955	4435
Total Ann'l			4365			9890			14255

1/ On the basis of assumptions provided by U.S. authorities.
2/ Costs related to refugee repatriation, resettlement and job creation. Estimate is from United States Government. Fund/Bank staff are not in a position at this stage to provide their own estimate.

Turkey--Notes to Table

Higher Oil Bill:

1. Crude oil

During January-July 1990, Turkey's crude oil import bill amounted to US$1,510.5 million. During January-June 1990, the import volume was 70.5 million barrels at a cost of US$1,301.2 million, i.e., the average price was US$18.5 per barrel. Assuming that this was also the average price for imports in July, the import volume in July can be estimated at 11.3 million barrels. The total import volume before the crisis was thus 81.8 million barrels. For the year as a whole, the import volume was estimated at 20 million tons or 147.4 million barrels. The import volume for the period August-December 1990 can thus be estimated at 69.8 million barrels. Assuming that this would have been imported at an average price of US$19 per barrel in the absence of the crisis, the additional costs for 1990 would be US$785 million at a price of US$31 per barrel, US$395 million at US$25 per barrel, and US$1,050 million at US$35 per barrel.

For 1991, assuming an unchanged volume of 147.4 million barrels and a price of US$19 per barrel in the absence of the oil crisis, the additional costs would be US$1,770 million at a price of US$31 per barrel, US$885 million, at US$25 per barrel, and US$2,360 million at US$35 per barrel.

2. Oil products

It is assumed that net imports of oil products in 1990 will be 19.0 million barrels. The import volume for the period August-December 1990 is assumed to be 6 million barrels. Assuming the same price as for crude oil, the additional costs for the remainder of 1990 would thus be US$70 million at US$31 per barrel, US$35 million at US$25 per barrel, and US$95 million at US$35 per barrel.

For 1991, assuming unchanged volume compared with 1990, the additional costs would be US$230 million at US$31 per barrel, US$115 million at US$25 per barrel, and US$305 million at US$35 per barrel.

3. Total additional oil bill

	1990	1991
	(In millions of U.S. dollars)	
$31 per barrel	885	2,000
$25 per barrel	430	1,000
$35 per barrel	1,145	2,665

2467-3

0057

Export losses:

In 1989, exports to Iraq and Kuwait were US$445 million and US$168 million respectively. In the first five months of 1990, exports to Iraq were 2 percent and exports to Kuwait 16 percent higher than in the same period of 1989. Assuming the same percentage increases for the remainder of the year, exports to Iraq will amount to US$455 million and those to Kuwait to US$195 million. The total loss of exports to these two markets would thus for five months be US$270 million and for the full year US$650 million.

Tourism:

In the original estimate for 1990, tourism receipts were expected to increase by 17 ½ percent. In the first half of 1990, however, such receipts were up by 47 percent, or an excess of 29 ½ percent. Even before the Middle East crisis, it would have been unrealistic to assume that this excess could have continued for the second half of the year. Assume that an excess of 10 percentage points (i.e., about 27 ½ percent increase year-on-year) for the second half of the year would have been possible. Tourism revenue for the year as a whole would then have amounted to US$3,450 million. The current Turkish estimate taking into account the effects of the Middle East crisis is US$3,300 million in tourism receipts. The loss for the last five months of 1990 can thus be estimated as US$150 million. On a full year basis, i.e., for 1991, the loss will then be US$360 million (i.e., assuming that there would be no underlying increase in tourism receipts in 1991).

Workers' remittances:

It is assumed that workers' remittances from Iraq and Kuwait on an annual basis amount to US$60 million (6,000 workers earning on average US$10,000 per year and remitting it all). For five months of 1990 this is equivalent to US$25 million. About the same amount of loss of workers' remittances is assumed from other countries.

Contractors fees:

It is assumed that the profit rate on the outstanding volume of contracting business in Iraq of US$2 billion is 25 percent and that this would be recouped over four years. The figure for 1990 will then be US$50 million and for 1991 US$125 million.

Transportation:

1. Pipeline royalties

For 1990, the loss is estimated at US$100 million and for 1991 US$250 million.

2467 - 4

P.5

0058

2. Transit trade and transportation

For 1989, net transit receipts amounted to US$70 million and shipment receipts to US$800 million. It is assumed that about 15 percent of such receipts would relate to Iraq and Kuwait and the full year loss would thus be US$125 million and prorated for 1990 US$50 million.

Lost debt repayments:

Estimates provided by Turkish authorities.

<u>Egypt--Notes to Table</u>

<u>Oil exports</u>:

The estimated increase in net oil exports amounts to US$395 million in 1990 comprising an increase in (i) crude oil exports of US$321 million; (ii) bunker exports of US$37 million; (iii) exports of refined products of US$109 million; and (iv) imports of refined products of US$72 million. It was assumed that crude oil prices rise by US$12 to US$31 per barrel and that refined product prices increase proportionately. Net oil exports would be US$180 million lower at an oil price of US$25 a barrel and US$130 million higher in case the oil price rises to US$35 a barrel.

The estimated increase in net oil exports amounts to US$890 million in 1991 consisting of (i) US$712 million in crude oil exports; (ii) US$88 million in bunker exports; (iii) US$263 million in exports of refined products; and (iv) US$173 million in imports of refined products. Net oil exports would be US$430 million lower at an oil price of US$25 a barrel and US$290 million higher at an oil price of US$35 a barrel.

<u>Transportation</u>:

Receipts from <u>transportation</u> are expected to decline by 17 percent mainly on account of lower revenue of the Suez Canal Company both in 1990 and 1991.

<u>Contractor fees</u>

Estimates on <u>contractor fees</u> are based on information provided by the U.S. Treasury.

<u>Worker remittances</u>

<u>Worker remittances</u> decline by US$600 million in 1990 and by US$1300 million in 1991. The decline in 1991 is less pronounced than in earlier estimates based on the assumption that Egyptian workers may replace other nationalities in some of the Gulf countries.

<u>Tourism</u>

<u>Tourism</u> receipts are expected to drop by 43 percent during August-December 1990 and 35 percent in 1991.

<u>Other services</u>

Estimates on <u>other services</u> were based on information provided by the U.S. Treasury mainly in regard to telephone services and social security receipts.

2467-6

0060

Jordan--Notes to Table

Exports losses:

Based on the U.S. assumption that no alternative markets could be found for exports to Iraq and Kuwait. In addition to loss of exports to Iraq and Kuwait, exports of phosphates, fertilizer, and potash (mostly marketed in the Far East) are assumed to decline by 30 percent due to shipping difficulties at the port of Aqaba and higher insurance premia. The Fund/Bank staffs believe that alternative markets can be found for 30 percent of exports to Iraq and Kuwait. In that case, the export losses to Jordan would be lower than is shown in the table and would amount to US$225 million in 1990, US$425 million in 1991 and US$650 million in 1990-91.

Higher oil bill:

If oil prices increase by US$6 per barrel starting August 1, 1990, the increase in the oil bill would be US$62 million in 1990 and US$148 million in 1991. Alternatively, if oil prices were to increase by US$16 per barrel starting August 1, 1990, the increase in the oil bill will be US$165 million in 1990 and US$395 million in 1991. Annual imports are estimated at 24.66 million barrels.

Worker remittances:

In addition to the loss of remittance receipts from Kuwait (estimated at about US$190 million annually), remittance receipts from Saudi Arabia are assumed to decline by 50 percent.

Tourism:

Receipts from tourism are assumed to decline by 70 percent on an annual basis.

Other services:

Other services (including transportation) are assumed to decline by about 40 percent on an annual basis. Transportation costs had not been estimated separately by the Fund/Bank staff.

Other costs:

The Fund/Bank staffs are not in a position to provide estimates on refugee-related costs. It should be noted, however, that the U.S. estimate of US$575 million for job creation in 1991 is equivalent to about 13 percent of 1989 GDP.

2461-7

요통보. 김

외 무 부

원 본

종   별 : 지 급

번   호 : USW-4492

일   시 : 90 1004 1706

수   신 : 장관(미북,경이,통일,재무부)

발   신 : 주 미 대사

제   목 : 폐만사태 분담금 공여국 실무회의

연:USW-4482

✓ 1. 연호, 약속 및 이행 금액과 관련, 미측은 하기 4 개 사항에 대한 분담금공여국들의 입장을 가급적 10.5(금)까지 알려주도록 요청하고 있음.

  O 약속금액 및 지원일정(AMOUNTS COMMITTED AND TIMEFRAME COVERED)

  O 수혜국 (INTENDED RECIPIENTS)

  O 원조 형태 및 조건 (THE NATURE AND TERMS OF THE ASSISTANCE, E.G., BALANCE OF PAYMENTS, COMMODITY, GRANT, LOAN)

  O 지급 시기 (TIMING OF DISBURSEMENTS)

✓ 2. 상기관련, 전선국가에 대한 구체적 지원 방안(지원 대상국가, 지원형태, 및 형태별 지원금액, 지원시기)이 수립되어 있는 경우 당관에 통보바라며, 이를 분담금 공여국 실무회의 또는 조정 위원회에서 공표하여도 될것인지 여부 회시바람.(대사 박동진-차관)

  예고:90.12.31 까지

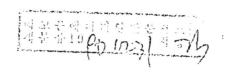

미주국   차관   • 1차보   경제국   통상국   재무부

PAGE 1

90.10.05   06:52

외신 2과   통제관 FE

0062

OFFICE OF THE EXECUTIVE DIRECTOR, WORLD BANK
Washington, DC 20433

Australia, Kiribati, Korea, New Zealand,
Papua New Guinea, Solomon Islands, Vanuatu, Western Samoa

DATE: *Oct 4, 1990*   NO. OF PAGES: *13*
(including this page).

TO: Honourable Yung Euy Chung
    Minister of Finance
    Ministry of Finance
    Gwachun, Republic of Korea

FAX: 822.503.9324

FROM: Mr. Chang-Yuel Lim, Executive Director, World Bank
Fax No. (202) 477-2007

SUBJECT 페르시아만 사태 관련 자료 송부

참조 : 국제금융국장

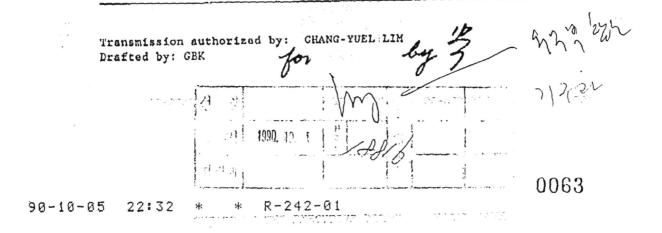

Transmission authorized by: CHANG-YUEL LIM
Drafted by: GBK

1990. 10

0063

1990 10 4.

수신 : 재무부장관
참조 : 국제금융국장
발신 : 세계은행 이사 임창렬 林
제목 : 페르시아만 사태 관련 자료 송부

1. '90 IMF/IBRD 연차총회 기간중 신병오 국제금융국장이 참석한 바 있는 페르시아만 사태 관련 미국 재무성 회의(Mulford 차관 주재)와 관련임.

2. 동 회의와 관련하여 소직이 세계은행 미국 이사 Mr. Coady를 통하여 입수한 Gulf Crisis Financial Coordination Group에 관한 자료와 함께 상기 회의에 이어 '90. 10. 2 개최된바 있는 미국 재무성회의(Dallara 차관보 주재)에 대비하여 IMF/IBRD staff들이 마련한 자료를 별첨과 같이 송부하오니 참고 하시기 바랍니다.

첨부 : 1. Gulf Crisis Financial Coordination Group 회의('90. 9.26)자료 1부
     2. 페르시아만 사태 관련 회의('90. 10. 2)자료 1부. 끝.

0064

September 22, 1990

GULF CRISIS FINANCIAL COORDINATION GROUP

OBJECTIVES

o Maintain and support U.N. economic sanctions toward Iraq.

o Demonstrate international resolve in mobilizing financial
   assistance for front line states and other countries
   seriously affected by the Gulf crisis.

o Establish a loose coordinating process to secure appropriate
   responsibility-sharing among creditors, encourage an
   adequate distribution of assistance to individual front
   line states, and -- for the medium-term -- support economic
   policy reform where appropriate.

o The process must ensure that decision-making remains in the
   hands of creditor governments. The IFIs should, however,
   be asked to provide analytical and technical advice.

o Provide a stream-lined, efficient coordinating process,
   without a new bureaucracy, by having officials of
   participating governments work closely in Washington.

o Actively pursue at the IMF/World Bank Annual Meetings
   modification in IMF policies to increase the timely
   availability of IMF resources for countries seriously
   affected by the crisis. (It is not ruled out that we may
   wish to consider expanding the list of countries receiving
   exceptional assistance; however, this remains for further
   consideration.)

0065

- 2 -

PURPOSE OF GULF CRISIS FINANCIAL COORDINATION GROUP

o   Coordinate exceptional financial resources to the front
     line states and other countries seriously affected by the
     Gulf crisis.

o   Members of the Coordination Group will together apply
     political conditionality on both the short and medium-term
     assistance.

o   Assistance for disbursement by end-1990 will be provided on
     an unconditional economic basis. As we move into 1991,
     consideration could be given to associating appropriate and
     realistic economic reform commitments.

     +   In some cases countries may have or wish to pursue
          regular IMF/World Bank programs. In other cases,
          however, such programs may be unrealistic and
          consideration may need to be given to shadow programs
          or other variations on that approach.

     +   Whatever approach is adopted, it is important to avoid
          rigid adherence to formal, inflexible linkage to the
          IMF or World Bank.

o   Facilitate the use of existing and possibly additional
     financial resources of the IMF and the World Bank as
     appropriate.

o   Disbursement of these exceptional financial resources is
     intended to be in reaction to the current Gulf crisis and
     not designed to address individual countries' underlying
     balance of payments problems and financing gaps, which must
     be dealt with by other means and through other channels. At
     the same time, financial conditionality on other flows (IMF,
     World Bank and bilateral aid) are not to be affected by this
     program.

STRUCTURE AND OPERATIONS

The Coordination Group will articulate broad policy guidelines
and coordinate assistance to each recipient country. The Group
will be chaired by a USG Treasury Department official with a USG
State Department official as deputy chair. Decisions regarding
disbursement will be made by donor governments and, in some
cases, may involve channeling assistance to specific countries.

The Coordination Group will consist of a Managing Committee and a
Secretariat. The Managing Committee will be composed of finance
ministry and foreign ministry officials from key creditors.

0066

— 3 —

The Secretariat will provide technical and analytical support for the Managing Committee and will have no decision making responsibilities.

Membership in Coordination Group

o   United States

o   Saudi Arabia, Kuwait, UAE, Qatar, and the Gulf Cooperation Council (GCC).

o   Germany, United Kingdom, Italy, France, Japan, Canada, the EC, Korea and possibly other new creditors.

o   The IMF and World Bank will provide technical advice and analytical support.

Initial Meeting of Coordination Group

o   The purpose of the first meeting of the Coordination Group would include:

   ♦   Agreement on the Managing Committee/Secretariat structure of the Coordination Group.

   ♦   Agreement on the coordination and measurement of bilateral flows.

   ♦   Consideration of methods to disburse funds. Among the approaches (in addition to bilateral transfers) to be evaluated would be a common account or support fund.

Managing Committee

o   The Managing Committee will consist of finance ministry and foreign ministry officials from the United States and other key creditors. A USG Treasury Department official will chair and a USG State Department official will serve as deputy chair.

o   The members of the Managing Committee will be the chief point of contact with their governments.

o   The Committee would be expected to operate with Washington-based officials.

o   The Managing Committee will take into consideration analytical and technical advice provided by the IMF and the World Bank.

o   Based on guidance provided by authorities from creditor capitals, the Managing Committee will guide disbursements and take into account political considerations which may be relevant.

0067

o   The Managing Committee will, in consultation with their respective authorities:

    ♦   schedule meetings of the Coordination Group;

    ♦   analyze and evaluate incremental financial needs of the front line states and of others directly and seriously affected by the Gulf crisis; analyses of the financial needs of recipients will draw on preliminary work done by the USG.

    ♦   coordinate bilateral and, where appropriate, collective assistance among the recipients based on guidance from the Coordination Group; and

    ♦   consider, as appropriate, association with IMF/World Bank supported economic reform measures for disbursements in 1991, but avoid rigid adherence to formal, inflexible types of linkages.

o   Monitor utilization of assistance by recipients.

Secretariat

o   Based on input from creditor countries, the IMF and World Bank could serve as the Secretariat. Their role will be limited to technical and analytical support.

o   A senior official will be designated by the Coordination Group as Executive Secretary.

o   The Secretariat, in a manner which assures coordinated input from the World Bank and IMF, will develop recommendations concerning economic policy measures so that assistance be consistent with and support the recipients' stabilization and adjustment objectives.

0068

Incremental Financial Impact

Explanatory Notes

Note: The calculations in the attached table were made by Fund and Bank staff at the request of the U.S. Government, within the parameters outlined below. The purpose of the calculations is to provide an estimate of the potential direct financial impact on the three countries of the increase in oil prices, the disruption of economic ties in the region and the effects of economic sanctions. At this stage, the role of the Fund and the Bank staff has been limited to a preliminary calculation of the potential impact on the basis of specified assumptions (see below and in the detailed country notes to the tables).

    -- The following broad assumptions were used for making the calculations.

        -- Only incremental financial needs are shown in the table; underlying pre-crisis financing needs are not included.

        -- First round or very proximate second round effects only are taken into account.

        -- No reduction in financing needs from adjustment effects of new policy actions is taken into account.

        -- The financial impact in 1990 is essentially extrapolated throughout 1991.

        -- An oil price of $31/bbl is used for 1990/91. For illustrative purposes, two alternative prices and their effects on financing needs are shown as memo items to the table: a lower price of $25/bbl and a higher price of $35/bbl.

        -- A number of other potential costs are not included: (1) export shortfalls due to: slower demand growth in third countries, loss of export competitiveness because of higher freight and insurance costs due to higher risk premiums and export production bottlenecks arising from economic disruptions; (2) higher freight and insurance costs in the services accounts; (3) higher interest payments on variable debt if world interest rates rise as a result of the inflationary effects of higher oil prices; (4) any adverse impact on foreign direct investment inflows due to higher uncertainties; (5) lost aid inflows from Kuwait; and (6) a number of country-specific costs (e.g. military relocation expenses in Turkey and the cost to Egypt of participation in the Gulf multinational forces. It is also recognized that there could be potential offsets either from more favorable than expected economic circumstances or from redirection of trade and factor flows.

October 2, 1990

0069

Estimates of Incremental Financial Impact of Middle East Crisis 1/

(In millions of U.S. dollars)

	1990			1991			1990-91		
	Turkey	Egypt	Jordan	Turkey	Egypt	Jordan	Turkey	Egypt	Jordan
Merchandise Costs									
Export losses	270	20	285	650	30	535	920	50	820
Higher oil bill	855	-395	125	2000	-890	295	2855	-1285	420
Service Costs									
Transportation	150	100	100	375	250	250	525	350	350
Contractor fees	50	100	200	125	250	175	175	350	375
Workers remittances	50	600	275	125	300	500	175	1900	700
Tourism	150	200	50	360	400	475	510	600	750
Other services	0	100	50	0	240	135	0	340	185
Capital Account Costs									
Lost debt repayments	100	--	110	600	--	145	700	--	255
Other Costs 2/	50	400	220	--	670	595	50	1070	815
Refugee repatriation	0	75	20	--	--	--	--	75	20
Refugee subsistence	50	200	100	--	50	20	50	250	120
Job creation	0	125	100	--	620	535	--	745	675
Total with oil at $31/BBL	1675	1125	1365	4235	2250	2930	5910	3375	4295
Total ann'l		4165			4415			11580	
Total with oil at $25/BBl	1250	1305	1302	3235	1680	2781	4485	3985	4084
Total Ann'l		3857			4698			12555	
Total with oil at $35/BBL	1965	995	1405	4900	1960	3030	6865	2955	4431
Total Ann'l		4365			1890			14255	

1/ On the basis of assumptions provided by U.S. authorities.
2/ Costs related to refugee repatriation, resettlement and job creation. Estimate is from United States Government. Fund/Bank staff are not in a position at this stage to provide their own estimate.

Turkey--Notes to Table

Higher Oil Bill:

1. **Crude oil**

During January-July 1990, Turkey's crude oil import bill amounted to US$1,510.5 million. During January-June 1990, the import volume was 70.5 million barrels at a cost of US$1,301.2 million, i.e., the average price was US$18.5 per barrel. Assuming that this was also the average price for imports in July, the import volume in July can be estimated at 11.3 million barrels. The total import volume before the crisis was thus 81.8 million barrels. For the year as a whole, the import volume was estimated at 20 million tons or 147.4 million barrels. The import volume for the period August-December 1990 can thus be estimated at 69.8 million barrels. Assuming that this would have been imported at an average price of US$19 per barrel in the absence of the crisis, the additional costs for 1990 would be US$785 million at a price of US$31 per barrel, US$395 million at US$25 per barrel, and US$1,050 million at US$35 per barrel.

For 1991, assuming an unchanged volume of 147.4 million barrels and a price of US$19 per barrel in the absence of the oil crisis, the additional costs would be US$1,770 million at a price of US$31 per barrel, US$885 million at US$25 per barrel, and US$2,360 million at US$35 per barrel.

2. **Oil products**

It is assumed that net imports of oil products in 1990 will be 19.0 million barrels. The import volume for the period August-December 1990 is assumed to be 6 million barrels. Assuming the same price as for crude oil, the additional costs for the remainder of 1990 would thus be US$70 million at US$31 per barrel, US$35 million at US$25 per barrel, and US$95 million at US$35 per barrel.

For 1991, assuming unchanged volume compared with 1990, the additional costs would be US$230 million at US$31 per barrel, US$115 million at US$25 per barrel, and US$305 million at US$35 per barrel.

3. **Total additional oil bill**

	1990	1991
	(In millions of U.S. dollars)	
$31 per barrel	885	2,000
$25 per barrel	430	1,000
$35 per barrel	1,145	2,665

0071

* * R-242-09

- 2 -

Export losses:

In 1989, exports to Iraq and Kuwait were US$445 million and US$168 million respectively. In the first five months of 1990, exports to Iraq were 2 percent and exports to Kuwait 16 percent higher than in the same period of 1989. Assuming the same percentage increases for the remainder of the year, exports to Iraq will amount to US$455 million and those to Kuwait to US$195 million. The total loss of exports to these two markets would thus for five months be US$270 million and for the full year US$650 million.

Tourism:

In the original estimate for 1990, tourism receipts were expected to increase by 17 ½ percent. In the first half of 1990, however, such receipts were up by 47 percent, or an excess of 29 ½ percent. Even before the Middle East crisis, it would have been unrealistic to assume that this excess could have continued for the second half of the year. Assume that an excess of 10 percentage points (i.e., about 27 ½ percent increase year-on-year) for the second half of the year would have been possible. Tourism revenue for the year as a whole would then have amounted to US$3,450 million. The current Turkish estimate taking into account the effects of the Middle East crisis is US$3,300 million in tourism receipts. The loss for the last five months of 1990 can thus be estimated as US$150 million. On a full year basis, i.e., for 1991, the loss will then be US$360 million (i.e., assuming that there would be no underlying increase in tourism receipts in 1991).

Workers' remittances:

It is assumed that workers' remittances from Iraq and Kuwait on an annual basis amount to US$60 million (6,000 workers earning on average US$10,000 per year and remitting it all). For five months of 1990 this is equivalent to US$25 million. About the same amount of loss of workers' remittances is assumed from other countries.

Contractors fees:

It is assumed that the profit rate on the outstanding volume of contracting business in Iraq of US$2 billion is 25 percent and that this would be recouped over four years. The figure for 1990 will then be US$50 million and for 1991 US$125 million.

Transportation:

1. Pipeline royalties

For 1990, the loss is estimated at US$100 million and for 1991 US$250 million.

0072

- 3 -

2. Transit trade and transportation

For 1989, net transit receipts amounted to US$70 million and shipment receipts to US$800 million. It is assumed that about 15 percent of such receipts would relate to Iraq and Kuwait and the full year loss would thus be US$125 million and prorated for 1990 US$50 million.

Lost debt repayments:

Estimates provided by Turkish authorities.

0073

R-242-11

Egypt--Notes to Table

Oil exports:

The estimated increase in net oil exports amounts to US$395 million in 1990 comprising an increase in (i) crude oil exports of US$321 million; (ii) bunker exports of US$37 million; (iii) exports of refined products of US$109 million; and (iv) imports of refined products of US$72 million. It was assumed that crude oil prices rise by US$12 to US$31 per barrel and that refined product prices increase proportionately. Net oil exports would be US$180 million lower at an oil price of US$25 a barrel and US$130 million higher in case the oil price rises to US$35 a barrel.

The estimated increase in net oil exports amounts to US$890 million in 1991 consisting of (i) US$712 million in crude oil exports; (ii) US$88 million in bunker exports; (iii) US$263 million in exports of refined products; and (iv) US$173 million in imports of refined products. Net oil exports would be US$430 million lower at an oil price of US$25 a barrel and US$290 million higher at an oil price of US$35 a barrel.

Transportation:

Receipts from transportation are expected to decline by 17 percent mainly on account of lower revenue of the Suez Canal Company both in 1990 and 1991.

Contractor fees

Estimates on contractor fees are based on information provided by the U.S. Treasury.

Worker remittances

Worker remittances decline by US$600 million in 1990 and by US$1300 million in 1991. The decline in 1991 is less pronounced than in earlier estimates based on the assumption that Egyptian workers may replace other nationalities in some of the Gulf countries.

Tourism

Tourism receipts are expected to drop by 45 percent during August-December 1990 and 35 percent in 1991.

Other services

Estimates on other services were based on information provided by the U.S. Treasury mainly in regard to telephone services and social security receipts.

0074

Jordan--Notes to Table

Exports losses:

Based on the U.S. assumption that no alternative markets could be found for exports to Iraq and Kuwait. In addition to loss of exports to Iraq and Kuwait, exports of phosphates, fertilizer, and potash (mostly marketed in the Far East) are assumed to decline by 30 percent due to shipping difficulties at the port of Aqaba and higher insurance premia. The Fund/Bank staffs believe that alternative markets can be found for 30 percent of exports to Iraq and Kuwait. In that case, the export losses to Jordan would be lower than is shown in the table and would amount to US$225 million in 1990, US$425 million in 1991 and US$650 million in 1990-91.

Higher oil bill:

If oil prices increase by US$6 per barrel starting August 1, 1990, the increase in the oil bill would be US$62 million in 1990 and US$148 million in 1991. Alternatively, if oil prices were to increase by US$16 per barrel starting August 1, 1990, the increase in the oil bill will be US$165 million in 1990 and US$395 million in 1991. Annual imports are estimated at 24.66 million barrels.

Worker remittances:

In addition to the loss of remittance receipts from Kuwait (estimated at about US$190 million annually), remittance receipts from Saudi Arabia are assumed to decline by 50 percent.

Tourism:

Receipts from tourism are assumed to decline by 70 percent on an annual basis.

Other services:

Other services (including transportation) are assumed to decline by about 40 percent on an annual basis. Transportation costs had not been estimated separately by the Fund/Bank staff.

Other costs:

The Fund/Bank staffs are not in a position to provide estimates on refugee-related costs. It should be noted, however, that the U.S. estimate of US$5/5 million for job creation in 1991 is equivalent to about 13 percent of 1989 GDP.

0075

발 신 전 보

번 호 : WUS-3252   901005 2136 DO   종별 : **지급**

수 신 : 주   미   대사. 총영사

발 신 : 장 관   (미북)

제 목 : 페만 사태 관련 아국의 지원 내용

대 : USW-4492

1. 본부는 9.27. 페만 지원 세부 집행 계획 수립을 위한 관계부처
국.과장급 실무회의를 개최하여 다음과 같이 집행계획(안)을 잠정 수립하였음.

　　가. '90 다국적군 활동 지원(9,500만불) 집행 계획

　　　o 현금 지원

　　　　- 지원액 : 미국에 대해 90년중 5,000만불 지원

　　　　- 지원 방법 : 미측과 협의를 거쳐 집행

　　　o 수송 지원

　　　　- 지원액 : 3,000만불

　　　　- 지원 방법 : 항공 수송은 주2회 지원하되 해운 수송은

　　　　　미측의 구체적 요구 있을시 용선, 지원

　　　o 군수물자 지원

　　　　- 지원액 : 1,500만불(운송비 100만불 포함)

　　　　- 지원 대상국 및 지원 규모 : 이집트(방독면 10,000착 지원

　　　　　포함, 600만불), 시리아(400만불), 모로코(100만불),

　　　　　파키스탄(300만불)

/ 계 속 /   대책반장 :

앙 고 재	90년 10월 5일	목 과	기안자 성명		과 장	심의관	국 장		차 관	장 관	
							전결				

보 안 통 제	

외신과통제

0076

- 대상 품목 : 군복, 방독면, 군화, 모포등 비살상용 군수
  물자중 조사단의 관계국과의 협의 결과에 따라 선정
o 군의료진 파견
  - 구체적인 집행 계획은 국방부에서 수립, 시행
  - 단, 군의료진 파견은 헌법 제60조 제2항의 규정에 따른
    국회의 사전 동의가 필요한 사항

나. '90 주변국 경제 지원(7,500만불) 집행 계획
  o 대외 경협기금(EDCF) 지원
    - 총 지원액 : 4,000만불
    - 지원시기 : 가급적 91년말까지 자금 인출
    - 지원 대상국별 지원액(안) : 이집트(2,000만불),
      터키(1,500만불), 요르단(500만불)
    - 지원방법 : 해당국으로부터 지원요청 접수, 통상적인 절차에
      따라 지원
  o 쌀 지원
    - 지원액 및 물량 : 1,000만불(수송비 포함), 약 3만톤
    - 지원대상국 및 지원 규모 : 이집트, 요르단, 터키,
      필리핀중 조사단의 협의 결과를 토대로 지원 대상국가,
      규모등 확정
    - 지원방법 : 무상지원(양곡관리 기금에서 결손 처리)
  o 구호 생필품 지원
    - 지원액 : 2,450만불(수송비 포함)
    - 지원품목 : 의료품, 담요, 의류등
    - 국별 지원 규모(안) : 이집트(1,000만불), 터키(550만불),
      요르단(300만불), 방글라데쉬(300만불), 파키스탄(300만불)

/ 계 속 /

0077

o 국제이민기구(IOM) 지원

   - 지원내역 : 국제이민기구(IOM)에 50만불을 특별 기여금으로
      지원키로 하였으며 아측의 결정 내용은 제네바 소재 IOM 본부에
      기통보

   - 또한, 아국 교포 및 근로자 본국 수송을 위해 별도로
      총127만 3천불이 기지출되었음도 국제이민기구에 홍보토록
      기조치

    2. 상기 집행 계획 관련, 아국이 지원키로 한 2억 2천만불중 1억 7천만불은
금년내에 집행 예정이며, 2차 지원분 5,000만불은 명년도에 집행 예정임.
(금년에 필요한 예산 1억 7천만불중 EDCF 기금 4,000만불, 잉여 쌀 지원 1,000만불
등 특별회계에서 지출되는 총 5,000만불을 제외한 860억원(1억 2천만불)은 금년도
추경 예산에 반영중)

    3. 한편, 상기 집행 계획(안)은 국무회의 보고 등 필요한 절차를 거쳐
최종 확정 시행 예정이며, 미측과의 사전 협의를 위해 우선 9.30. 주한미대사관측에
통보하였음을 참고 바람. 또한 분담금 공여국 실무회의 또는 조정위원회에서
공표는 별도 통보시까지 보류바람.

(미주국장 반기문)

예고 : 91.6.30. 일반

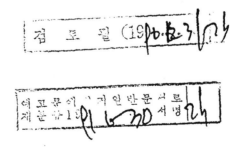

0078

WUS-3285 발901008신909 전 보
9010081909 04

번 호 : WUS-3285 　　종별 :

수 신 : 주 　 미 　 대사. 총영사 　　예고문에의거 재분류(1990.12.31.)

발 신 : 장 관 　　(미 안) 　　직위 　성명 　하

제 목 : 걸프사태 재정지원 조정 그룹 창설 문제

　　　　대 : USW-4351

1. 표제관련 현재 동 미측 제안이 초기단계에 있는 만큼, 향후 일본, 독일등
　주요 원조 공여국의 동향등 제반여건을 관찰해가면서 우리의 입장을 구체화
　(동 그룹 구조 및 통합 계정설치 문제등 포함)시켜나가는 것이 바람직 할
　것임에 비추어, 아국으로서는 다음과 같은 입장을 잠정적으로 취하고 있는바,
　이를 감안하여 필요시 10.12 회의에서의 입장표명등 대처 바람.

　- "폐"만 사태의 조기해결에 도움이되는 협의장치 마련에 기본적으로 동의함

　- 그러나 각국의 정치.경제적 여건등 개별사정과 표제문제의 한시적 성격등을
　　감안하여, 동 조정그룹은 구속력있는 조직이 아닌 비상설 협의회의
　　형식으로 운영함이 바람직함

　- 동 조정그룹에서는 원조국간의 관련정보 교환 및 원조계획에 관해 논의토록
　　하고 기술적 조언.분석은 IMF/IBRD에 의존토록 함

　- "폐"만 사태의 추이와 동 협의회의 운영경과등을 종합적으로 고려하여
　　향후 협의장치의 발전을 검토토록 함

　　　　　　　　　　　　　　　　　/계속....

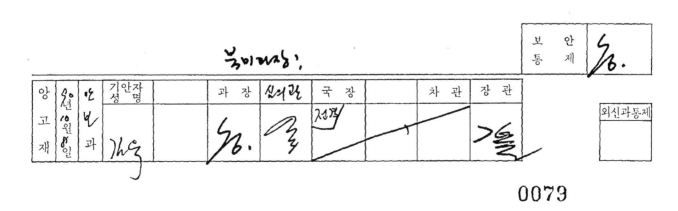

			기안자 성명		과 장	심의관	국 장		차 관	장 관	

2. 본부에서 파악한 일정부(외무성) 입장을 아래 첨언하니 귀업무에 참고
   바람.

   - 일본으로서는 미측 제의에 전적으로 수긍하는 입장은 아니나 전향적으로
     보아 구체화되면 가능한 협조하고자 함

   - 현재로서는 아무런 구체화된 내용이 없어 명확한 입장정립이 불가하므로
     10.12 회의결과등을 보아가며 일측 입장을 검토하고자 함

   - 동 그룹에서 제외된 국가와 동 그룹 창설계획에 유보적 의견을 가진 일부
     EC 국가의 불만등 문제의 소지가 있다고 보며, 일본으로서는 동 조정그룹의
     결정이 구속력을 갖는다는 점에 대하여는 반대하는 입장임

예고 : 90. 12. 31 일반

끝.

(미주국장 반 기 문)

0080

분류번호 | 보존기간

발 신 전 보

WUS-3295   901008 1959 DY

번 호 :   종별 :

수 신 : 주   미   대사. 총영사

발 신 : 장 관   (미북)

제 목 : 페만사태 조정위원회 대표 파견

연 : WUS-3252, 3266

대 : USW-4482

1. 본부는 연호 제2차 페만사태 조정위원회에서 아국의 입장을 정확히 알리는 한편, 아측의 집행계획을 미측 정책결정에 직접 참여하는 권한있는 인사 (~~처관보 또는 부차관보급~~)와 직접 협의키 위해 권병현 페만사태 대책위원장 (홍석규 북미과 사무관 수행)을 10.10-14간 파견키로 결정하였음.

2. 이는 12.10경이면 1억 7천만불의 추경예산이 당부에 배정되어 집행 가능할 것으로 예상되나 예산 회계법상 금년내로 동 예산을 집행해야하는 시간적 제약성에 비추어 가능한 조속히 아국의 집행계획을 확정하여 집행에 착수코자 하기 위한 것임.

3. 상기에 따라 권대사 귀지 방문시 국무부, 재무부 및 국방부등 관계 (차관보 또는 부차관보급) 기관의 면담필요 주요인사를 귀관이 선정, 주선바라며 연호 회의에는 권대사 일행, 귀관 최 참사관 및 재무관도 참석토록 조치바람. (머저국장등에서는 아중 24백만불러 앞으로 서신으써 아중 대로 준하는 도움을 바요원)

4. 권대사 일행은 10.10(수) 16:30 National 공항(PA Shuttle편) 도착, 10.14(일) 10:30 뉴욕 항발 예정인바, 적절한 호텔에 싱글 2실 4박 예약 바람. 끝.

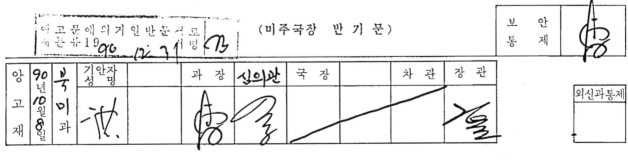

(미주국장 반 기 문)

보안통제

앙고재 90년10월8일 | 북미과 | 기안자성명 | 과장 | 심의관 | 국장 | 차관 | 장관

외신과통제

0081

權 丙 鉉

페르시아灣 事態 對策班長

訪 美 資 料

90.10.

美 洲 局

目　　　次

0083

Ⅰ. 日 程

<u>10.10(수)</u>   10:00   서울 출발(KE 026편)

                12:25   JFK 도착

                15:30   워싱턴 향발(PA Shuttle 편)

                16:30   National 공항 도착

<u>10.11(목)-12(금)</u>

          대사관과 협의, 미 주요인사 접촉

          페만 사태 재정지원 공여국 조정 그룹회의 참석

<u>10.14(일)</u>   10:30   National 공항 출발(PA Shuttle 편)

                11:30   La Guardia 공항 도착

                14:30   서울 향발(KE 025편)

<u>10.15(월)</u>   20:30   서울 도착

II. 重點 協議事項

ㅇ 쾨灣 事態 關聯 我國 支援 細部 執行計劃 協議

  - 美側 政策決定 參與 權限 있는 人士와의 直接 協議

  - 今番 我國 支援은 最大限의 支援임을 強調

ㅇ 第2次 쾨灣事態 調整 委員會 參席

  - 一般的 我國 立場 表明

  - 日本, 獨逸等 主要援助 供與國 動向 觀察

0085

Ⅲ. 걸프事態 關聯 我國 支援 細部 執行計劃

0086

1. 支援 內容

가. 現金 또는 物資 支援 : 2億 2千万弗

(單位 : 万弗)

年 度　　　　支援 內譯		'90支援(1次分)	'91支援(2次分)
多國籍軍活動支援	現金 支援	5,000	2,500
	輸送 支援	3,000	
	現物 支援 (軍需 物資)	1,500	
	小 計	9,500	2,500
周邊國 經濟支援	經協 支援	4,000	2,500
	現物 支援 (救護 生必品)	2,450	
	剩餘 쌀 支援	1,000	
	難民 輸送 支援	50	
	小 計	7,500	2,500
總　　　　計		1억 7,000	5,000

나. 軍 醫療陣 派遣

0087

2. 執行 計劃(案) 槪要

가. 槪 要

① 周邊 被害國 經濟支援 豫定額 1億弗을 아래와 같이 配定하고 同 範圍內
  에서 細部 執行 計劃을 樹立함.
  - 이집트 : 4,000万弗
  - 터 키 : 3,000万弗
  - 요르단 : 2,000万弗(IOM 支援金 50万弗 包含)
  - 방글라데쉬 : 500万弗
  - 파키스탄 : 500万弗
  * 이집트는 中東에서의 影響力 및 我國과의 修交推進 懸案이 있음을
    考慮

② 各 主管部署는 進行事項을 月 2回 外務部에 通報하고, 外務部가 이를
  綜合, 靑瓦臺에 報告함.

③ 必要時 周邊 被害國(前線國家 3個國 包含)에 대한 支援 協力을 위해
  關係部處 實務 調査團(經企院, 外務部, 財務部, 國防部, 商工部,
  農水産部)을 周邊 被害國에 派遣, 協議토록함.
  * 調査團 活動 經費는 經濟支援 豫算에서 支出함.

0088

나. 豫 算

　ο '90年度 追加 更正 豫算에 所要財源 860億원(1億2千万弗) 計上 措置

　　- 國會 通過後 外務部에서 執行

　ο 對外 經協基金(4千万弗) 및 쌀 支援(1千万弗)은 別途 豫算 措置 不要

　　＊ 今年度 對外 經協基金(EDCF) : 4千万弗

　　＊ 쌀 支援 : 糧穀 管理 基金에서 缺損 處理

　ο '91 支援分 5,000万弗은 91年度 豫備費로 計上 措置 豫定

다. 本 計劃은 最短時日內 國務會議에 報告한後 執行에 着手함.

3. 多國籍軍 活動 支援 執行 計劃

　가. 現金 支援

　ο 支援 額 : 美國에 대해 90年中 5,000万弗 支援

　ο 支援 方法 : 美側과 協議를 거쳐 執行

　나. 輸送 支援

　ο 支援額 : 3,000万弗

　ο 支援 方法 :

　　- 航空 輸送 : 週2回 支援

　　- 海運 輸送 : 美側의 具體的 要求 있을시 備船, 支援

0089

다. 軍需物資 支援

○ 支援額 豫算 : 1,500万弗 (輸送費 100만불 包含)

○ 支援 對象國 및 支援 規模

- 이집트(600万弗), 시리아(400万弗), 모로코(100万弗),
파키스탄(300万弗)等

＊ 이집트의 경우, 防毒面 10,000着 支援 包含

○ 對象 品目

- 軍服, 防毒面, 軍靴, 毛布等 非殺傷用 軍需物資중 調査團의
關係國과의 協議 結果에 따라 선정

○ 支援物品 購買 計劃

- 可能한 限 中小企業體를 選定, 購買 및 船積을 擔當토록 措置

0090

라. 軍醫療陳 派遣

  ㅇ 具體的인 執行計劃은 國防部에서 樹立, 施行

  ㅇ 단, 軍醫療陳 派遣은 憲法 第60條 第2項의 規定에 따른 國會의 事前
    同意가 必要한 事項

  ㅇ 또한 軍醫療陣 派遣이 戰鬪 兵力 派遣으로 連結되지 않도록 美側과
    事前 協議, 措置 講究

  ㅇ 對美 交涉 事項
    - 軍醫療陣 配置場所 및 派遣期間
    - 我國 軍醫療陣에 대한 指揮 體系 및 診療 對象
    - CAMP 位置 및 警戒 要員 必要性 與否
    - 醫療 補給品(藥品, 醫療品) 支援 擔當 國家
    - 軍診療團員의 衣, 食, 住 問題
    - 病院 施設 問題
    - 派遣 準備에서 부터 現地 到着 任務 隨行時 까지 對美 協調 窓口

0091

4. 周邊國 經濟 支援 執行 計劃

가. 對外 經協基金(EDCF) 支援

　○ 總 支援額 : 4,000万弗

　○ 支援時期 : 可及的 91年末까지 資金 引出

　○ 支援 對象國別 支援額(案)

　　- 이집트 : 2,000万弗(中東 最大國家로서 對 이라크 制裁에의

　　　　　　　積極的 參與 考慮)

　　- 터 키 : 1,500万弗(NATO 會員國으로 對 이라크 制裁를 위한

　　　　　　　지정학적 重要度 감안)

　　- 요르단 : 500万弗(요르단의 孤立化 防止로 對이라크 制裁効果 제고)

　○ 該當國으로부터 支援要請 接受, 通常的인 節次에 따라 支援

나. 쌀 支援

　○ 支援額 및 物量 : 1,000万弗(輸送費 包含), 約 3만톤

0092

ㅇ 支援對象國 및 支援 規模 決定 : 이집트, 요르단, 터키, 필리핀中
調査團의 協議 結果를 土臺로 支援 對象國家, 規模等 確定

ㅇ 支援方法 : 無償支援
  - 糧穀管理 基金에서 缺損處理

다. 救護 生必品 支援

ㅇ 支援額 : 2,450万弗 (輸送費 包含)

ㅇ 支援品目 : 醫藥品, 담요, 의류등

ㅇ 國別支援 規模(案)
  - 이집트 : 900万弗
  - 터 키 : 400万弗
  - 요르단 : 350万弗
  - 방글라데쉬 : 400万弗
  - 파키스탄 : 400万弗

0093

라. | 國際移民機構(IOM) 支援 |

    º 支援 內譯

        - 國際移民機構(IOM)에 50万弗을 特別 寄與金으로 支援

        - 제네바 所在 IOM 本部에 旣通報

    º 또한, 我國 僑胞 및 勤勞者 本國 輸送을 위해 別途로 總127万 3千弗이

     旣支出 되었음도 國際移民機構에 弘報토록 措置

添附 : 支援 業務 執行部處(案).   끝.

添附

支援業務 執行 部處(案)

業　　務	主 管 部 署	關聯部署(協調)
總　　括	外務部	
豫算措置	經濟企劃院	
現金支援	外務部	經濟企劃院, 財務部
輸送支援	外務部, 交通部	
經協(EDCF)支援	外務部, 財務部	
쌀 支援	農 水 産 部	外務部
防毒面 支援	外務部	國防部, 商工部
軍需物資 (軍服, 毛布等)	外務部	國防部, 商工部
救護 生必品	外務部, 商工部	
難民輸送支援	外務部	
醫療團 派遣	國 防 部	外務部

0095

Talking Points

October, 1990

American Affairs Bureau
Ministy of Foreign Affairs

0096

1. Details of support

A. Cash and in-kind support : $220M

(Million dollars)

items \ year		'90	'91
support to Multinational force	cash to the U.S.	50	
	transportation (for the U.S.)	30	25
	non-lethal military expendables	15	
	sub-total	95	25
support to front-line states and others	economic development cooperation fund (EDCF)	40	
	necessaries of life	24.5	25
	rice	10	
	contributions to I.O.M.	0.5	
	sub-total	75	25
Total		170	50

0097

※ allocation of economic support to the front-line states and others :

- Egypt : $40M, Turkey : $30M, Jordan : $20M(including the contribution to I.O.M.), Bangladesh : $5M, Pakistan : $5M

B. Dispatch of military medical team to Middle East(Saudi Arabia)

2. Points to be notified and raised

A. Contribution in cash to the U.S. : $50M

o how and when to contribute(U.S. preference)

B. Transportation support : $30M

o air cargo transportation : 2 times/week

o sea transportation : to be provided on U.S. request

C. Military expendables : $15M(including transportation cost)

: the U.S. opinion on the following allocation and items

o allocations :

Egypt : $6M, Syria : $4M, Morocco : $1M,

Pakistan : $3M

0098

° items : gas mask(K-1) : 4240375000203

chemical protective gear(침투 보호의) : 8415011371700

antidote kit MARK-1(해독제) : 6505011749919

blanket : 7210371800647

field pack with frame(배낭) : 8465371800647

D. Dispatch of military medical team

o points to be clarified

- location of camp and duration of deployment

- command structure

- whom to treat

- how to protect the team

(Is Korean securty guard necessary ?)

- which state or states to provide medical supplies

- food and accomodation for the team

- details on medical facilities

- U.S. contact point for coordination

E. EDCF : $40M

o allocation :

- Egypt : $20M, Turkey : $15M, Jordan : $5M

0099

o disbursement (EDCF : tied-loan) :

  - on receiving speific requests from the receiving countries,

    the R.O.K.G. will take routine procedure for disbursement

  - to be disbursed during '90-'91

F. grant of rice : $10M including transportation cost(about 30,000 tons)

  o prospective receiving countries :

    Egypt, Jordon, Turkey, Philippines

  o ROKG special team to tour these countries to determine the amount,

    etc.

G. necessaries of life : $24.5M(transportation cost inclusive)

  o items : medicine, blanket, clothing, etc.

  o allocation :

    Egypt : $9M, Turkey : $4M, Tordan : $3.5M, Bangladesh : $4M,

    Pakistan : $4M

H. contributions to I.O.M. : $0.5M

  o already notified ROK's commitment to I.O.M.

  * ROK has spent $1.27M for bringing Korean nationals from Iraq

    and Kuwait since the Gulf crisis began.

0100

1. 國防部 檢討事項

ㅇ 軍 移動 外科病院 派遣 檢討

- 現在 運用中인 205(원통), 208(양구), 215(속초) 野戰 移動外科病院中 派遣

ㅇ 軍 診療에 어려움이 따르지만 國家政策的 次元이라면 差出 可能

- 現在 軍醫官 所要 3,684名 對備 204名 不足

ㅇ 移動外科 病院 編成 : 總112名

- 將校 23, 準士官 1, 下士官 10, 兵 78

ㅇ 移動外科 病院 派遣 決定時는 원통 소재 205 病院을 派遣하고, 12사단 의무 근무대를 조금 補完해 주면 可能

ㅇ 205 야전 移動外科 病院 派遣時는 手術車輛, 病理試驗車輛, 放射線車輛 追加 購入 必要

ㅇ 人員選拔, 戰鬪手當 支給等 後續措置 講究 必要

0101

2. 對美 交涉 事項

　◦ 軍醫療陣 配置場所 및 派遣期間

　◦ 我國 軍醫療陣에 대한 指揮 體系 및 診療 對象

　◦ CAMP 位置 및 警戒 要員 必要性 與否

　◦ 醫療 補給品(藥品, 醫療品)支援 擔當 國家

　◦ 軍診療團員의 衣,食,住 問題

　◦ 病院 施設 問題

　◦ 派遣 準備에서 부터 現地 到着 任務 隨行時까지 對美 協調 窓口

0102

외 무 부

종 별 :

번 호 : USW-4557   일 시 : 90 1009 1910

수 신 : 장관(반기문 국장님)

발 신 : 주 미 대사(최영진 배상)

제 목 : 업연

대:WUS-3266,3295

1. 대호, 권대사님과 주재국 관계 인사와의 면담은 현재 국무부 MCALLISTER 차관보, 재무부 DALLARA 차관보(10.11. 중으로 확정), 국방성 ROWEN 차관보 (또는 FORD 부차관보)로 주선중인바, 면담일시는 명일중 확정예정입니다.

2. 건승기원 합니다.

예고:90.12.31. 까지

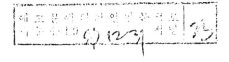

미주국

외 무 부

종 별 :

번 호 : USW-4556 　　　　　　　　 일 시 : 90 1009 1910

수 신 : 장관(미북,통일,재무부)

발 신 : 주 미 대사

제 목 : 페만 사태 실무회의

　　연:USW-4482

　　연호에 이어 금 10.9. 15:00-17:10 간 페만사태 제 2 차 실무위원회가 재무부 회의실에서 DALLARA 재무부 국제경제 담당 차관보 및 MCALLISTER 국무부 경제담당 차관보 공동 주재로 개최된바, 당관에서는 최영진 참사관 및 허노중 재무관이 참석하였음.

　　요지 하기 보고함.

　　1. 참석국은 연호와 동일하나, 불란서, 이태리 및 EC 대표가 불참 하였음.

　　(이들 국가의 불참 이유는 실무위원회 운영방식에 관한 이견 때문인것으로 알려진바, 미국은 IMF/IBRD, 사우디, 쿠웨이트 의 지원을 받아 분담금 문제를 조속 해결하려고하는데 반하여 상기 불참 국가등은 실무위원회의 역할을 정보교환에 국한할것을 주장하고 있음.)

　　2. 의제 1 항(비용 산출에 관한 IMF/IBRD 설명)에 관하여는

　　가. 영국 대표가 OIL COST 항목은 전선국가에 국한된 문제가 아니며, 실업자 구제는 이번 사태에 직접연결되기 보다는 미래에 대한 투자의 성격이 더욱강하기 때문에 이러한 항목들을 포함시키는 것이 적절한지 의문을 표시한바, 독일, 일본, 스위스 대표가 이에 동조하면서 조정위원회의 판단에 맡길것을 주장함.

　　나. 이에 반해 미측(MCALLISTER 차관보)은 전선국가에 대한 원조는 무엇보다 정치적 고려에 입각한 것인 만큼 OIL COST 나 실업자 구제항목이 반드시 포함되어야 한다고 주장하고, 사우디, 쿠웨이트가 이에 동조함.

　　다. 미측(DALLARA 차관보) 은 IBRD 측에서 만든자료에 영국등의 의견을 FOOTNOTE 등으로 반영하는것이 어떨것인가 하는 의견을 제시함.

　　3. 의제 2 항(약속 및 이해금액 제출)에 관하여는

미주국 재무부	장관	차관	1차보	2차보	경제국	통상국	청와대	안기부

PAGE 1 　　　　　　　　　　　　　　　　　　　　　 90.10.10　　10:16

　　　　　　　　　　　　　　　　　　　　　　　　　外信 2과　통제관 EZ

　　　　　　　　　　　　　　　　　　　　　　　　　　　0104

가. 사우디, 쿠웨이트등이 상세자료를 제출하고, 일본이 약속금액 (20 억불)만 밝힌바 이를반영한 미측에서 준비하였던 자료는 독일등 대표가 보안문제를 거론, 다시 회수함.

나. 이와관련, 영국 대표가 왜 미국은 액수를 밝히지 않는가 문의 한바, 미측은 월 30 억불의 작전비용, 이집트에 대한 70 억불 부채 탕감, 의회 관계등 특수한 사정이 있음을 설명함.

4. 의제 3 항(1991 년도 지원)에 관하여 미측은 BRADY 재무 및 BAKER 국무장관 이 그간 90 년 상황에만 치중하였으나, 91 년이 두달남은 지금 91 년도 원조액에 대하여 협의할 필요가 있음을 지적하면서, 페만사태의 연내해결 여부에상관없이 91 년도 원조 문제는 계속 남을것이라 말하고, 10.12. 조정위원회에서 이문제가 자세히 토의 되기를 희망하였음.

5. 원조 대상국을 3 개국에 한정하여야 할것인가 하는 문제에 대해 쿠웨이트 는 시리아를 포함할것을 주장하고, IBRD 측에서는 3 개 전선국가외에 파키스탄, 인도등 가장 피해를 많이 입고 있는 총 10 개국도 검토하고 있음을 보고함. 일본 대표는 전선국가 3 개국에 국한할것을 주장함.

6. 미국측에서 다시회수해간 자료에 의하면 사우디의 경우 약속금액이 16.7 억불, 이행금액 11.7 억불이며(이집트에 약속 15 억, 이행 10 억, 터키에 는 액수 미상의 석유공급, 인도적 원조 3 억등), 쿠웨이트 경우 약속 8.5 억불, 이행 5.4 억불(이집트에 약속 5.5 억불, 이행 5.4 억불, 터키에 약속 3 억, 이행 2.2 억등, 일본:약속 20 억불, EC 단체약속:7 억, EC 회원국가 개별 약속:총 13 억, 스웨덴:2 천만불, 스위스 :8 백만, 영국:4 백만불 등으로일단 기록되어 있었음. 독일의 경우 미측에 통보 하였으나 보안을 이유로 발표하지 말것을 요청하였다 함.

7. 조정위원회는 예정대로 10.12.10:00 개최 예정임.

(대사 박동진-국장)

예고:90.12.31. 까지

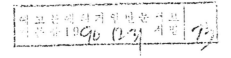

PAGE 2

0105

외 무 부

종 별 : 지 급

번 호 : GEW-1698   일   시 : 90 110 1500

수 신 : 장관(미안)

발 신 : 주 독 대사

제 목 : 걸프사태 재정지원 조정그룹

대:WGE-1427

1. 표제건 관련 금 10.10. 전부관 참사관은 주재국 외무부 대 EC 및 제 3 세계 협력 담당 EICHINGER 부국장을 면담, 타진한바 동 부국장은 주재국으로서도 걸프사태 재정지원국가간의 긴밀한 협조.조정이 긴요하다고 보고있으며, 10.12. 개최 제 2 차 회의에 재무차관을 파견키로 예정하고 있으나 동기구의 조직.회의방법등 구체적 문제에 관한 방침은 상금 결정된바 없다고 말함

2. 전참사관이 개인의견임을 전제, 대호 아측평가에 관해 언급하자 동부국장은 좋은 견해로 본다고 말하고, 주재국으로서는 본건 관련 EC 간의 의견조정및 협조에 중요성을 부여하고 있으므로, EC 협의회에서 의견조정을 거쳐 대처해 나갈것으로 본다고 언급함

(대사 신동원-국장)

예고:90.12.31. 일반

예고문에 의거 인반문서로 재문규 1990 12.31 서명

미주국   구주국

PAGE 1   90.10.11   05:24

                                          외신 2과 통제관 DO

                                          0106

외 무 부

종   별 :

번   호 : USW-4601   일   시 : 90 1011 2107

수   신 : 장관(미북,미안)

발   신 : 주 미 대사   中華阿阿 1 copy

제   목 : 페만 사태 지원 한.미 협의결과

　　　권병현 페만사태 대책반장은 금 10.11(목) 11:00 펜타곤에서 DAVE TARBELL 국방장관실 국제 정책 담당관등 미 국방부, 국무부내 다국적군 지원 관련 우방국지원 조정 관계관들과 간담회를 갖고 상세 아국 지원 계획을 설명하고 이에 대한 미측견해를 청취하였는바 , 동 간담회시 토의 요지 아래 보고함.

　　　(아측 배석: 최 참사관, 해군무관, 김 서기관, 홍사무관)

　　　미측   배석:JORDAN 대령, M. ISCHINGER(군수담당), MCMILLION 국무부 한국과부과장외 4 명)

　　　1. 군수물자 지원문제

　　　0 미측은 사우디에 파견한 미군에 대한 대규모 자체 군수지원으로 인해 중개자 역할 수임은 곤란하며 다국적군에 대한 군수물자 지원문제는 한국정부가 지원 대상국과 직접협의를 통해 구체집행 계획을 확정 짓기를 희망하고 주한 미군 사령부와 국방부간 상세사항 협의도 희망

　　　0 다만 지원대상 품목 과 관련, 지원 대상국과 이견이 있을경우, 미측과 재협의를 거쳐 다른 다국적군 파견국에 동 품목이 지원될수 있도록함이 바람직함.

　　　0 이에 대해 권 대사는 지원대상국과의 협의를 위한 아국 조사단이 빠른 시일안에 지원 대상국에 파견 예정임을 언명함.

　　　0 또한 미측은 수원 대상국에 세네갈 포함을 호의적으로 고려해 줄것을 간접적으로 권유하는 인상을 비침.

　　　2. 현금 지원문제

　　　0 미의회는 10.1. 미 국방부가 요청한 우방국으로 부터의 다국적군 활동 지원금의 국방 헌금(TREASURY GIFT FUND) 에로의 편입집행을 거부하여, 미 국방부는 미 의회의 동 자금에 대한 세출 승인이 있을 때까지 국방협력 기금 구좌(DEFENSE COOPERATION

미주국　　　장관　　　차관　　　1차보　　　미주국　　　청와대　　　안기부

ACCOUNT)에 우방국의 기여금을 입금 관리 예정임.

 - 입금 절차, 구좌번호등 상세 주한 미대사관을 통해 아측에 통보 예정

0 미측은 한국 정부가 지원 현금 사용에 특정 조건을 부여할 가능성에 대해문의한바, 추경 통과시 국회에서 사소한 논란이 예상되나 집행에 있어 특정범위를 지정하거나 조건을 부여할 생각은 없음을 분명히 함.

3. 수송 지원문제

0 미측은 사태 초기시 아국이 제일먼저 운송 지원을 제공한데 대해 사의를 표시함.

0 미측이 향후 아국에 대한 수송지원 요청은 항공지원에 편중될것임을 밝히면서 항공수송지원의 증편 가능성을 문의한바, 권대사는 동 문제는 총액 3,000 만불 범위내에서 미측 편의에 따라 유연성 있게 운용될수 있을것이라 답변 하였음.

4. 군의료진 파견 문제

0 권대사는 한국 정부는 아측 요청에 따라 현재 군 의료진 파견 가능성을 검토중임을 통보하고 아측은 인원만 공급하고 숙박시설 및 의료품의 미측 또는 사우디 공급 가능성을 문의 하였음.

 - 동문제가 미측 요청에 따른 조치임을 강조하고 국회 승인 필요 사항인 만큼 시설 및 보급 문제등에 있어 미측의 호의적 고려를 요청

0 이에 대해 미측은 동 문제가 매우 복잡하고 민간함 문제이므로 동 문제는조심스럽게 연구할 시간이 필요한 사항이라 밝힘.

 - 미측 입장 확정후 통보 예정이라 언명

5. 기타

0 권대사는 금번 아국 정부의 지원은 노 대통령의 각별한 배려에 따라 아국의 경제, 안보 여건상사의 제약에도 불구하고 최대한의 노력한것임을 강조하는 한편, 사태 조기 해결을 위한 미국의 노력에 대한 한국 정부의 전폭적 지지 의사를 표시하였음.

동 지원의 대외발표 문제와 관련, 권대사는 현지 잔류 우리교민의 안전문제를 고려, 지원의 총체적인 규모는 밝혀도 무방할것이나, 국가별 지원 내역등 상세사항은 대외적으로 공표하지 않는것이 좋을것이라 언급한바, 미측은 이에 동의함.

0 또한 미 국방성이 파악하고 있는 여타 우방국 지원 상세 내용의 제공을 요청하였는바, 미측은 동 자료를 주미 무관부에 금명 제공 예정이라 밝혔음.

 (대사 박동진-장관)

PAGE 2

0108

91.6.31. 일반

PAGE 3

0109

외 무 부

관리
번호 PO-2213

종 별 :

번 호 : USW-4602

수 신 : 장관 (미북,미안,봉일)

발 신 : 주미대사

제 목 : 페만 사태 지원 한.미 협의 결과 보고(2)

일 시 : 90 1011 2106

연:USW-4601

연호 권대사는 금 10.11(목) 14:00 RICHARD HECKLINGER 미 국무부 경제 및 사업 담당 부차관보를 면담하고 페만 사태관련 주변국 지원문제를 논의하였는바,동 면담시 협의 내용 요지를 아래 보고함.

(아측 배석:최 참사관, 김서기관, 홍사무관)

미측 배석:JOHN A . BOYLE 재정 및 개발담당 과장

BRUCE CARTER 한국과 겨어지 담당관)

1. 페만 사태 재정 공여국 조정회의

O HECKLINGER 부차관보는 명일 회의시 BRADY 재무장관이 직접 참석하여 각국 대표를 위한 리셉숀을 개최할 예정이며 국무부로 부터는 KIMMIT 정무차관이 참석하여 우방국의 단결을 통한 사태해결이 갖는 정치적 중요성을 부각시킬 예정이라 밝힘.

O 동 차관보는 지원국과 수원국간의 양자관계에 따른 고려와 함께 상기 회의를 통한 효율적 집행의 중요성을 강조함.

2. 아국 지원 계획 설명

O 권대사의 아국 지원 계획에 대한 상세한 설명에 대해 HECDKLINGER 부차관보는 아국의 지원에 사의를 표명함.

O 또한 요르단의 최근 행태(대이락 제재 조치 이탈 사례등) 와 관련 미국 정부의 불만을 표시하고 요르단에 대한 지원 규모 결정시 참고토록 요망함.

- 지원자세를 취소토록 권유하는것은 아님을 분명히 하면서도 여타 우방국들의 지원 규모와 교량 아국 지원 규모확정 권유

O 권대사는 수교 목적등을 위해 3 개 전선국가 이외에 시리아등에 대한 아측의 지원 희망 의사를 밝히고, 이에 대한 미측의 견해를 문의함

미주국	장관	차관	1차보	미주국	통상국	청와대	안기부

0 동 부차관보는 시리아가 상금 테러리스트 국가로 분류되고 있는등 미국과의 양자관계에 문제가 있다고 언급, 명확한 입장 표명은 회피하였으나 가능한한 지원대상국에서 제외 시키는 것이 좋을것이라고 시사 함.

0 동 부차관보는 기타 지운 가능 대상국을 문의한바, 권대사는 파키스탄, 방글라데쉬, 필리핀등이 고려되고 있음을 밝힘.

0 또한 , 미측은 민주화를 향한 중대 변환기에처한 동구 제국에 대한 원조 제공 필요성 지적에 대해 권 대사는 아측 지원 가용 금액 제약상 동구 제국 포함의 곤란함을 밝힘.

-금번 아국의 지원은 아국 사정상 최대한의 지원임을 강조

3. EC 측 신제안

0 권대사는 미측이 금일 오전 미 국무부 한국과를 통해 아측 의견을 문의한공여국 조정회의 운영관련 EC 측 제안(별도 소규모 운영위 구성이 주 내용, 추후 상세 보고)에 대한 미측 진의를 문의함.

0 미측은 상기 조정회의 운영관련 EC 제국등이 절차 문제에 다소 불만을 표시하고 있으나, 대 이락 경제 제재 조치 효율화를 위한 주변국 지원 이라는 정치적 목표에는 참가국이 전폭적으로 지지하고 있음을 강조함.

4. 잉여쌀 공여문제

0 필리핀을 포함한 주변 전선국가에 대한 쌀 공여 문제와 관련, 권대사는 동 지원이 수원국에 대한 인도적 고려와 야당등 국내 반발을 무마하기 위한 수단중의 하나임을 지적하고 미측의 이해를 요청함.

0 미측은 동 지적을 미 농무성등과 관련 기관에 통보, 한국측 진의를 설명예정이라 밝힘

(대사 박동진- 장관)

91.6 .30. 일반

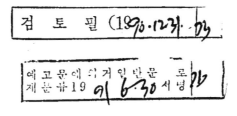

깅

| 관리
번호 | 70-2214 |

외 무 부

종   별 :

번   호 : USW-4603   일   시 : 90 1011 2106

수   신 : 장관(미봉, 미안, 봉일)

발   신 : 주 미 대사   中東阿局 1 copy

제   목 : 페만사태 지원 한.미 협의 결과 보고 (3)

연:USW-4602

연호 , 권대사는 금 10.11(목)15:00 CHARLES H. DALLERA 미 재무부 국제담당 차관보를 면담하고 연호 주변국 지원문제를 협의하였는바, 동 면담시 협의 내용 요지를 아래 보고함.

(아측배석: 최참사관, 허재무관, 김서기관, 홍사무관)

미측 배석:JAMES H. FALL 발전도상국가 담당 재무 차관보

TODD CRAWFORD 발전도상국가 담당관실

BRUCE CARTER 국무부 한국과

MATTHEW GOODMAN 국뭅 한국과)

1. 아측 지원 계획 설명

O 권대사는 아측 지원 계획중 주변 경제 지원 집행 계획 , 아측지원의 집행 가능시기, 국가별 배분 계획(안)을 상세 설명함.

O 이에 대해 DALLERA 차관보는 한국이 홍수피해등 여러 어려움에도 불구하고 지원의사를표시하여 준데 대해 사의를 표명하고 한국의 국력신장에 부응한 세계 지도국가로서의 역할 수행의 중요성을 지적함.

-여타국에 비해 한국은 매우 협조적이며 한국의 지원은 상징적으로 중요함을 지적

O 또한 편의에 따라 우방국들이 90 년, 91 년으로 지원 규모를 배분하고 있으나 주변국의 피해 보전을 위해서는 한국이 91 년도 지원 내용을 조기에 발표하기를 희망함.

(미국의 일방적 공여국 조정회의 운영에 불만을 표시하고 있는 EC 제국에 대한 제동국가로서의 아국 역할을 기대하는것으로 감지됨)

2. 각국별 지원 내용 발표문제

미주국   미주국   통상국

0 동차관보는 미 재무성이 명일회의시 배포할 각국별 지원 내용 작성 자료를 취합하고 있으므로 한국측 지원 내용중 국별 할당규모에 대한 자료 제공을 요청 함.

0 이에 대해 권대사는 현재 고려중인 국별 할당 지원 규모를 미국만의 참고조건으로 통보하고 명일 회의시 배포 자료는 지원 항목별 총액과 국별 우선순위만을 표기토록 요청하였음.

-실제 지원금액 결정시 아국의 유연성 보유 필요성에 동의

3. 쌀 지원문제

0 동차관보는 쌀등 식량 시장의 혼란 가능성을 우려 미 농무성은 지원 공여국 주재 미 대사관들에 식량 원조의 경우는 1) 인도적 고려에 따른 지원에 한하고 2) 수원국의 식량 시장에서 실제 부족 상황이 발생하는 경우에 한한다는 미측입장을 통보한바 있으므로 쌀 지원문제는 매우 민감한 사안임을 지적함.

0 이에 대해 권대사는 동 지원이 인도적 고려에 의한 지원임을 강조하고 미측이 아측 지원을 강하게 부정적으로 생각할 경우 쌀 지원 자체를 철회할수도 있음을 밝힘.

0 이에 대해 미측은 한국 지원의 상징적 의미를 감안, 향후 긴밀한 협의를 통한 원만한 해결 희망을 표시함.

4. 아국 불사용 섬유 쿼타 터키 할애 요청

0 동 차관보는 BRADY 재무장관이 정영의 재무장관 면담 (IMF 총회 참석시) 시에도 밝혔듯이 현재한국이 사용치 않고 있는 섬유 쿼타의 터키에로의 할애 요청에 대한 아측 입장을 문의함.

0 이에 대해 권대사는 소관 사항 이외의 요청이므로 귀국후 관계부처에 확인후 대사관을 통해 진전 상황을 알려주겠다고 언명함.

(대사 박동진- 장관)

91.6.30. 일반

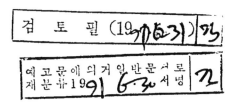

PAGE 2

0113

외 무 부

종 별 :

번 호 : USW-4604

일 시 : 90 1011 2107

수 신 : 장관(미북,봉일, 재무부)

발 신 : 주 미 대사

제 목 : 페만 사태 조정위

1. 국무성 MCMILLION 한국과 부과장은 10.11. 당관에 전화, EC 가 기존 조정위와는 별도의 운영위 (STEERING COMMITTEE)를 하기와 같이 구성코자 함을 알려오며, 만약 운영위가 구성되면 한국도 이에 참가할 의향이 있는지를 문의 하여옴.

　0 의장직:미국

　0 구성: 영국 및 프랑스(안보리 대표), EC 대표, 일본, 중동국가 수개국

2. 동 EC 안에 대한 미측 입장문의에 대해, 동 부과장은 동 운영위가 구성되면 오히려 모든일이 전체적으로 복잡해 지리라 생각한다고 말함.

3. EC 의 동 운영위 구성 제의 배경등 상세 사항은 명일 제 2 차 조정위 종료후 재보고 예정임.

　(대사 박동진- 차관)

　90.12.31. 일반

미주국　　차관　　통상국　　재무부

90.10.12　　13:53
외신 2과 통제관 FE
0114

외 무 부

종   별 :

번   호 : USW-4624   일   시 : 90 1012 1915

수   신 : 장관(미북,미안,통일,재무부)

발   신 : 주 미 대사

제   목 : 페만 사태 제2차 조정위 결과 보고

연: USW(F)- 2590

금 10.12.(금) 10:00- 13:30 간 페만사태 2 차 조정위원회가 재무부 회의실에서 MULFORD 재무차관 및 KIMMITT 국무부 정무차관 공동 주재로 개최됨.

아측은 권병현 대사, 최참사관, 허재무관 및 홍사무관이 참석한바, 요지 하기 보고함.

1. BRADY 장관 주최 다과회

0 조정위 개최에 앞서 30 분간 동회의에 참석한 17 개국 대표를 위한 BRADY재무장관 주최 다과회가 재무부 외교 접견실에서 개최된바, 동 다과회시 BRADY장관은 금일 조정회의가 사소한 기술적 문제를 뛰어 넘어 구체적 성과를 이룩하는 회의가 되기를 기대한다는 요지의 연설을 행하였음.

2. 제 2 차 조정 위원회 회의

가. 개요

0 금일 회의에는 사우디, 쿠웨이트, UAE, 카타르등 GULF 국가, 프랑스, 벨지움, 독일, 이태리, 화란, 영국등 EC 제국, 스웨덴, 스위스, 일본, 카나다 및 아국 대표등 17 개국 대표가 참석함.

0 미측은 조정위원회 운영 활성화와 전선국가 지원을 통한 데이라크 제재조치 실효화라는 정치 목표 달성을 강조하는 의미에서 국무부측 공동의장을 MCCORMACK 경제차관에서 ROBERT M. KIMMITT 정무차관으로 교체함.

0 동회의는 IMF/IBRD 가 산정한 페만사태 관련 전선국가 피해 현황보고 및 토의, 각국의 지원 규모 및 각국 입장 발표와 차기 회의 문제 토의순으로 진행되었음.

나. 토의 내용

0 전선국가들의 재정적 피해 상황 산출과 관련, DALLARA 차관보는 그간 2 차에

미주국	차관	1차보	2차보	미주국	통상국	청와대	재무부	대책반

90.10.13   08:49
외신 2과   통제관 BT
0115

걸친 실무 위원회 토의 결과를 보고함.

O 이어 IMF/IIBRD 대표는 피해 상황 산출 현황을 설명 하였고 (자료 FAX 송부), EC 대표는 자신들의 산출액인 90 억불과 IMF/IBRD 측 142 억불과의 상이점과 관련 의견을 개진한데 대해 MULFORD 차관은 대이락 경제조치 실효화라는 조정위원회의 정치적 목표가 상세 산출시 발생되는 기술적 문제를 뛰어 넘어야(OVERSHADOW) 하며 제시 된 자료는 향후 작업을 위한 기초 자료가 될것이라 언급함.

O KIMMITT 차관도 지원국 대표들은 금번 사태의 정치적 측면을 고려해야 할것임을 강조함.

O 이어 각국별 주변국 지원 내용(자료 팩스 송부)에 대한 각국 대표의 발언이 있었음.

다. 권대사 발언 요지

O 권대사는 페만사태 관련 아국의 주변국 지원 내용의 대강을 밝힘

- 지원 대상국으로 3 개 전선국가 이외에 시리아, 방글라데쉬, 파키스탄 포함 고려 예정 언명

O 금번 아국정부의 지원 결정은 경제적이기 보다는 정치적 결단으로 이루어졌으며 이는 한국전시 집단안보 지원에 혜택을 본 국가로서 이에 보답한다는 차원에서 제반 국내의 어려운 사정에도 불구 최대한의 지원 결정을 내리게 되었음을 강조함.

O 이에 대해 MULFORD 차관은 상기 내용이 BRADY 장관 방한시 노 대통령 께서도 지적한 사항임을 지적하고 한국이 UN 등의 도움으로 침략을 성공적으로 극복하여 금번에는 타국을 도우는 성공적 사례가 되었다고 하고 아국 정부의 지원에 사의를 표시 하였음.

라. 차기 회의 개최지 및 의제

O 미측은 차기회의 의제가 내주중 개최될 실무위원회 토의로 확정될 예정이며, 전선국가 이외에 관심을 가져야할 국가 및 91 년도 지원액 상세 지출 방안 토의가 중점 토의되길 희망함.

O 이태리 대표는 동 조정위 회의를 주요 지원 공여국에서의 순환 개최 할것을 제안하였는바, 동 제안이 채택되어 차기 회의는 11 월초 이태리 로마에서 개최키로 함.

첨부:USW(F)-2590 (4 매)

(대사 박동진- 국장)

9c, 12. 31. 까지

PAGE 2

0116

수 미 대 사 관

번 호 : USW(Γ) - 2590

수 신 : 장 관 (미북, 미안, 통일, 재무부)

발 신 : 수 미 대 사

제 목 : 첨부 (4매) (표지포함)

2590-1

0117

Estimates of Incremental Financial Impact of Middle East Crisis 1/

(In millions of U.S. dollars)

	1990			1991			1990-91		
	Turkey	Egypt	Jordan	Turkey	Egypt	Jordan	Turkey	Egypt	Jordan
Merchandise Costs									
Export losses	270	20	285	650	30	535	920	50	820
Higher oil bill	855	-395	125	2000	-890	295	2855	-1285	420
Service Costs									
Transportation	150	100	100	375	250	250	525	350	350
Contractor fees	50	100	—	125	250	—	175	350	—
Workers remittances	50	600	200	125	1300	500	175	1900	700
Tourism	150	200	275	360	400	475	510	600	750
Other services	—	100	50	—	240	135	—	340	185
Capital Account Costs									
Lost debt repayments	100	—	110	600	—	145	700	—	255
Other Costs 2/	50	400	220	—	670	595	50	1070	815
Refugee repatriation	—	75	20	—	—	—	—	75	20
Refugee subsistence	50	200	100	—	50	20	50	250	120
Job creation	—	125	100	—	620	575	—	745	675

0118

	1990			1991			1990-91			
	Turkey	Egypt	Jordan	Turkey	Egypt	Jordan	Turkey	Egypt	Jordan	
Total with oil at $31/BBL	1675	1125	1365	4235	2250	2930	5910	3375	4295	Total with oil at $31/BBL
Total ann'l for three countries 3/		4165			9415			13580		Total ann'l for three countries
Total with oil at $25/BBL	1250	1305	1302	3235	2680	2783	4485	3985	4085	Total with oil at $25/BBL
Total ann'l for three countries		3857			8698			12555		Total ann'l for three countries
Total with oil at $35/BBL	1965	995	1405	4900	1960	3030	6465	2955	4435	Total with oil at $35/BBL
Total ann'l for three countries		4365			9390			14255		Total ann'l for three countries

1/ Prepared in response to a request by the U.S. authorities at the GCFCG to provide estimates of the first round impact of events in the Middle East.

2/ U.S. Government estimates. Fund/Bank staff are not in a position at this stage to provide their own estimates.

3/ If the impact of higher oil prices on the three countries were excluded, on the grounds that the price impact is not unique to them, or if job creation costs were excluded because of the difficulty of quantifying this item, then the totals would be:

	1990-91
Including impact of higher oil prices Alternative est. 1	11590
Excluding job creation Alternative est. 2	12160
Excluding job creation and impact of higher oil prices Alternative est. 3	10170

COMMITMENTS & DISBURSEMENTS OF ECONOMIC ASSISTANCE TO FRONTLINE STATES*

10/12/90

(Millions of U.S. Dollars)

		TOTAL		Economic Egypt		Turkey		Jordan		Unallocated		Emergency & Humanitarian		OTHER STATES a/
		Comm.	Disb.	Comm.	Disb.	Comm.	Disb.	Comm.	Disb.	Comm.	Disb.	Comm.	Disb.	
GULF														
Saudi Arabia	b/	2500	1175	1500	1000	oil	oil			300	0	175	175	1050
Kuwait		2500	765	655	540	300	225							533
UAE		1000	700	450	450	250	250							
Qatar		n.a.	n.a.											
Other GCC		n.a.	n.a.											
EC	c/													
EC Budget	d/	751	78							673	0	78	78	
Bilateral:	e/	1345	12							1345	0			
Belgium		n.a.	n.a.											
France		n.a.	n.a.											
Germany	f/	869	7	644		77		145	0			7	7	
Italy		n.a.	n.a.											
Netherlands		n.a.	n.a.											
United Kingdom	g/	116	5							111	0	5	5	
OTHER EUROPE														
Sweden		22	22									22	22	
Switzerland		8	0									5	0	
JAPAN		2000	0	395	0	900	0	250	0	1055	0			
CANADA		68	6							62	0	6	6	
KOREA		100	0							65	0	35	0	
TOTAL		10293	2758	2900	1990	850	475	253	0	3500	0	320	281	1583

NOTES

* The precise definition of the frontline states remains under consideration. Includes all commitments for economic assistance in 1990 and 1991, based on data submitted to the Coordinating Group. Does not include military assistance.

a/ Assistance to other, non-frontline states not included in total.

b/ Assistance in form of oil supplies for Turkey has not been quantified.

c/ Total EC commitment for 1990-1991 consists of ECU 59 million in Humanitarian assistance (approximately $78 million), plus ECU 1.5 billion in Economic assistance (approximately $2 billion), one-third from Community budget and two-thirds from member country bilateral contributions.

d/ ECU 500 million total.

e/ ECU 1 billion total.

f/ May include amounts in addition to German share of EC bilateral assistance.

g/ ▇▇▇ humanitarian assistance is provided through direct U.K. bilateral channels.

MEMORANDUM

Exchange rates as of New York close on 10/11/90 (in units per US$, except [i] is US$ per unit):

ECU [i]	1.3453
Deutschemark	1.5135
Swiss franc	1.2729
Canadian dollar	1.1466

2590-t (E-N)

COMMITMENTS & DISBURSEMENTS OF ECONOMIC ASSISTANCE TO FRONTLINE STATES*

(Millions of U.S. Dollars)

10/12/90

	TOTAL		Economic — Egypt		Turkey		Jordan		Unallocated		Emergency & Humanitarian		OTHER STATES d/
	Comm.	Disb.	Comm.	Disb.	Comm.	Disb.	Comm.	Disb.	Comm.	Disb.	Comm.	Disb.	
GULF													
Saudi Arabia h/	2500	1175	1500	1000	oil	1000			300	0	175	175	Syria 1000 / 5.33
Kuwait	2500	765	555	540	300	225							
UAE	1000	700	450	460	250	250							
Qatar (h)	n.a.	n.a.											
Other GCC	n.a.	n.a.											
EC													
EC Budget c/	751	78							673	0	78	78	
Bilateral: d/	1345	12							1345	0			
Belgium	n.a.	n.a.											560 M 40 ...
France	n.a.	n.a.											
Germany f/	869	7	644		73		145	0	111	0	7	7	
Italy	n.a. 150	n.a.											
Netherlands	n.a.	n.a.									5	5	
United Kingdom g/	116	5	n.a. 10%										
OTHER EUROPE													
Sweden	22	22					3	0			22	22	
Switzerland	0	0									5	0	사우디
JAPAN	2000	0	395		300		250	0	1055	0			
CANADA	68	6							62	0	6	6	
KOREA	100	0							65	0	35	0	
TOTAL	10293	2750	2900	1990	850	475	253	0	3500	0	320	281	1583

-2-

NOTES

* The precise definition of the frontline states remains under consideration. Includes all commitments for economic assistance in 1990 and 1991, based on data submitted to the Coordinating Group. Does not include military assistance.

a/ Assistance to other, non-frontline states not included in total.

b/ Assistance in form of oil supplies for Turkey has not been quantified.

c/ Total EC commitment for 1990–1991 consists of ECU 59 million in Humanitarian assistance (approximately $78 million), plus ECU 1.5 billion in Economic assistance (approximately $2 billion), one–third from Community budget and two–thirds from member country bilateral contributions.

d/ ECU 500 million total.

e/ ECU 1 billion total.

f/ May include amounts in addition to German share of EC bilateral assistance.

g/ The humanitarian assistance is provided through direct U.K. bilateral channels.

MEMORANDUM

Exchange rates as of New York close on 10/11/90 (in units per US$, except [i] is US$ per unit):

ECU [i]	1.3453
Deutschemark	1.5135
Swiss franc	1.2729
Canadian dollar	1.1466

報　告　事　項

報告畢

1990. 10. 16.
美　洲　局
北　美　課(31)

題　目 : 페灣 事態 對策班長 訪美 結果報告

1. 개 요

o 권병현 페만사태 대책반장은 아국지원 세부 집행계획에 대한 미측과의 협의
  및 제2차 페만사태 재정지원 공여국 그룹 조정회의 참석차 90.10.10-15간
  방미하였는바, 동 결과 요지 아래 보고 드립니다.

2. 방미시 주요일정

10.11(목)

11:00	미 국방부, 국무부 다국적군 지원 관계관과의 협의
14:00	Richard Hecklinger 미 국무부 경제 및 사업 담당 부차관보 면담
15:00	Charles H. Dallara 미 재무부 국제담당 차관보 면담

10.12(금)

10:00	Brady 미 재무장관 주최 다과회 참석
10:30 -13:30	제2차 페만사태 재정지원 공여국 그룹 조정회의 참석

0124

3. 미측과의 주요 협의사항

  o 금번 아국지원 규모는 국내 경제.안보 여건상 최대한의 지원임을 강조
    - 미측, 아국의 지원결정에 사의 표시
    - 아측지원 규모에 현재로는 만족 표시 (Mulford 재무차관)

  o 지원 대상국 선정 및 지원액 결정시 아국의 재량권 행사에 이해 표시
    - 수교 목적을 위한 대 시리아 원조 방침 통보에 수긍
    - 원조 대상국에 세네갈 포함 권유

  o 군 의료진 파견 관련, 파견, 주둔 및 보급경비의 미측 또는 주둔국 부담 요청
    - 미측, 복잡하고 미묘한 문제이므로 심사숙고후 미측 입장 통보 예정 언명

  o 쌀 지원관련, 미측은 농무부가 식량 현물시장 교란을 이유로한 문제제기
    가능성 우려 표시
    - 인도적 고려에 의한 지원임을 강조하고 양국간 긴밀협의를 거쳐 조치토록
      합의

  o 미측은 공여국 그룹 조정회의 운영관련, 아국의 미측 입장 지지 세력 역할
    기대
    - EC 제국등의 부분적 이의제기에 대한 제동 역할 기대 (EC제안 운영위에
      아국 참가의사 타진등)
    - 제3차 회의는 11월초 이태리 로마에서 개최키로 결정 (미국만이 아닌
      EC, 일본, 사우디등 세계 주요국 망라한 압도적 반이락 세력 과시)

0125

4. 관찰 및 건의사항

  ○ 이미 미측과의 협의가 원만히 끝났으므로 지원키로 결정된 부분의 조속
    집행을 위하여 가급적 각료급 또는 차관급을 단장으로하고 관계부처 국장급
    으로 구성된 1차 조사단을 금월중 파견토록 건의드림
    - 신속한 집행과시
    - 독자적 대중동 외교 전개(예: 일본 수상 순방)

  ○ 이집트.시리아 수고 노력 동시전개
    - 현지공관, 방문단 및 미국 측면 지원 다각적 동원

  ○ 조사단 파견등 추가 경비는 원칙적으로 지원비내에서 지출토록함
    - 미국측에 이미 통보.이의 제기 없음.

  ○ 아측 지원 규모에 미측은 사의와 만족을 표명하면서도 91년 지원내용에
    관심을 동시에 표시한 바, 일단 유사시나 내년도에 91년도분 추가지원
    요청 가능성 불배제

  ○ 미측의 군 의료단 파견 요청은 무력 충돌사태 발생에 대비, 미군이의의
    다국적군에 대한 의료지원 목적으로 관측되며, 아측이 주둔 장비, 의료품등
    부담 요청에 미측은 심사숙고가 필요한 사항이라는 반응을 보이고 있음에
    비추어 볼 때 사태 진전에 따른 필요 발생시까지 보류 가능성도 있음.
    따라서 현재로서는 아측이 적극적으로 추진할 필요는 없을 것으로 관측됨.

  ○ 대책반의 조직적이고 효율적인 업무 수행를 위해 대책반내 실무요원 배치를
    건의드림
    - 미주국, 중동 아프리카국 및 국제경제국 직원 각1명 대책반 파견 근무

0126

걸프 事態 支援 執行 計劃

対美 協議 및 調整委 参席 結果 報告

1990. 10. 17

外　　務　　部

0127

權丙鉉 폐灣事態 對策班長은 我國支援 細部 執行 計劃에 대한 美側과의 協議 및 第2次 폐灣事態 財政 支援 供與國 그릅 調整會議 參席次 90.10.10-15間 訪美하였는바, 同 結果 要旨 아래 報告 드립니다.

1. 訪美時 主要日程

10.11(木)
    11:00   美 國防部, 國務部 多國籍軍 支援 關係者와의 協議
    14:00   Richard Hecklinger 美 國務部 經濟 및 事業 擔當 副次官補 面談
    15:00   Charles H. Dallara 美 財務部 國際擔當 次官補 面談

10.12(金)
    10:00   Brady 美 財務長官 主催 茶菓會 參席
    10:30   第2次 폐灣事態 財政支援 供與國
    -13:30   그릅 調整會議 參席
    13:30   Kimmitt 國務部 次官 非公式 接触

0128

2. 美側과의 主要 協議事項

o 금번 我國支援 規模는 國內 經濟. 安保 與件上 最大限의
   支援임을 説明, 美側은 이를 評價
   - 美側, 大統領閣下의 Brady 財務長官 接見時 表明
     하신 말씀을 想起하고, 政治的 決斷을 評價, 我國의
     支援決定에 謝意 表示
   - 我側支援 規模가 經濟力에 비추어 他國보다 큰 寄與
     로서 政治的 決定이라고 認定하고 現在로는 滿足 表示
   - 議長은 我國이 UN等 도움으로 侵略을 成功的으로
     克服, 今番에는 他國을 도우는 成功的 事例로 指摘
     (以上 Mulford次官의 議長으로서 公式 發言)

o 支援 對象國 選定 및 支援額 決定時 我國의 재량권
   行使에 理解 表示
   - 修交 目的을 위한 對 시리아 援助 方針 通報에
     首肯

o 軍 醫療陣 派遣 關聯, 駐屯 및 補給經費의 美側 또는
   駐屯國 負擔 要請
   - 美側, 複雜하고 微妙한 問題이므로 심사숙고후
     美側 立場 通報 豫定이라 言明

o 쌀 支援關聯, 美側은 農務省이 食糧 現物市場 攪亂을
   理由로한 問題提起 可能性 憂慮 表示
   - 人道的 考慮에 의한 支援임을 強調하고 兩國間
     緊密協議를 거쳐 措置토록 合意

0129

o 美側은 供與國 그룹 調整會議 運營關聯, 我國의 美側
立場 支持 勢力 役割 期待
  - EC 諸國等의 部分的 異議提起에 대한 制動 役割
    期待(EC提案 運營委에 我國 參加意思 打診等)
  - 第3次 會議는 11月初 이태리 로마에서 開催키로
    決定(美國만이 아닌 EC, 日本, 主要 中東國
    世界 主要國을 망라한 壓倒的 反이락 團結된 勢力
    誇示)

3. 観察 및 建議事項

o 이미 美側과의 協議가 원만히 끝났으므로 支援키로
  決定된 部分의 早速 執行을 위하여 可及的 高位級을
  團長으로하고 關係部處 局長級으로 構成된 1次
  調査團을 早速한 時日內 派遣함이 바람직함
  - 迅速한 執行誇示
  - 獨自的 對中東 外交 展開

o 이집트. 시리아 修交 努力 同時 展開
  - 現地公館, 訪問團 및 美國側面 支援 多角的
    動員

o 調査團 派遣等 追加 經費는 原則的으로 支援費內에서
  支出토록 함
  - 美國側에 이미 通報. 異意 提起 없음.

0130

o 我側 支援 規模에 美側은 謝意와 滿足을 表明하면서도
   91年度 支援内容에 關心을 동시에 가진바, 일단
   有事時나 來年度에 91年度分 追加支援 要請 可能性
   排除 못함

o 美側의 軍 醫療團 派遣 要請은 武力 衝突事態 發生에
   對備, 美軍이외의 多國籍軍에 대한 醫療支援 目的으로
   觀測되며, 我側이 駐屯 裝備, 醫療品等 負擔 要請에
   美側은 深思熟考가 必要한 사항이라는 反應으로 비추어
   볼때 事態 進展에 따른 必要 發生時까지 保留 可能性도
   있음. 따라서 我側이 積極的으로 推進 必要는 없을
   것으로 觀測됨

- 끝 -

정 리 보 존 문 서 목 록					
기록물종류	일반공문서철	등록번호	2012090480	등록일자	2012-09-15
분류번호	772	국가코드	XF	보존기간	영구
명 칭	걸프사태 재정지원 공여국 조정위원회 회의, 1990-91. 전6권				
생 산 과	북미1과/경제협력2과/중동2과	생산년도	1990~1991	담당그룹	
권 차 명	V.2 제3차. Rome, 1990.11.5				
내용목차	★ 수석대표 : 권병현 외무부 본부대사				

\

외 무 부

종 별 :

번 호 : USW-4736   일 시 : 90 1022 1659

수 신 : 장관(미북,통일,재무부)

발 신 : 주 미 대사

제 목 : 페만 사태 제3차 실무회의

연:USW-4556, 4624

금 10.22(월) 10:00-12:30 간 페만사태 2 차 실무회의가 재무부
회의실에서DALLARA 재무부 국제경제 담당 차관보 및 MCALLISTER 국무부 경제담당
차관보 공동 주재로 개최된바, 당관에서는 최영진 참사관 및 허노중 재무관이 참석
하였음. 요지 하기 보고함.

1. 참석국은 연호와 동[84f2. 의제 1 항(약속 및 이행 금행) 과 관련하여 IMF/ IBRD 측
으로 부터 연도별 및

국가별 통계 설명이 있었음(6 페이지 통계자료 10.23. 파편 송부)

3. 의제 2 항(약속금액 및 소요금액 비교) 에 관하여는

가. 미국측에서 하기 2 가지 문제점을 지적하면서 각국대표들이 본부에 보고하여
줄것을 요청함.

(1)요르단의 경우

-90 년 약속금액이 2.3 억불, 소요금액이 13.6 억불로 11.3 억불이 부족한
형편이므로 각국이 대 요르단 원조 금액을 증액시키거나, 91 년도 약속분을 90 년도에
앞당겨 이행하는 방안을 검토해 줄것을 요청함.

-이와관련 MCALLISTER 차관보는 요르단의 경제 봉쇄 이행도가 문제가 되었으나,
현재 이행도가 증가하고 있으므로 이에 대한 보상의 의미와 앞으로 이행도가 더욱
증가토록 추진하는 의미에서 원조의 증가가 필요함을 설명함.

(2) 터키와 관련

-91 년도 약속금액 1 억불, 소요금액 42.3 억불로 41.3 억불이 부족한 상태이므로,
추가 약속의 필요성이 있음을 설명함.

나. 상기 요르단 및 터키 문제와 관련, EC 국가들은 이집트의 경우 90

미주국   2차보   통상국   재무부

년도약속금액 31.7 억불, 소요금액 11.3 억불로 20.4 억불이 소요액을 상회하는 점을 지적하며, 각국의 약속금액을 요르단 및 터키쪽으로 일부 재배정 조정하는 방안 및 30 억불 달하는 90 년도 미 배정 (UNDENTIFIED)금액을 각국이 가급적 요르단 및 터키 쪽으로 배정하는 방안을 제시한바, 미국대표는 재배정 조정문제는 이에 소요되는 경비 및 각국의 정치적 고려등을 고려할때 쉽지 않을것으로 보이므로 우선 증액 및 91 년도분의 90 년도 이행 방안을 검토해 주기 바란다고 말함.

　　다. 한국과 관련하여서는 총액 1 억불이 91 년도 약속분으로 되어 있어, 최참사관이 90 년도 분을 7 천 5 백만불로, 91 년도 분을 2 천 5 백만불로 수정하여 줄것을 요청 하였음.

　　4. 의제 3 항(로마 조정위 준비) 에 관련하여서는 로마 회의를 11.5(월)로잠정결정하고 이태리측에서 각국에 초청장을 발송키로 함.

　　동 로마회의 준비를 위하여 10.30(화) 제 4 차 실무회의를 갖기로 함.

　　5. 상기 2 항 봉계자료와 관련, 미측이 GULF 국가들의 91 년도 약속금액이 없음을 지적, 사우디 대표의 90 년도로 계상되어 있는 25 억불이 90,91 년도 2 개년분이라는 설명에 대해 , DALLARA 차관보는 사우디 고위층이 미측에 약속한것과 차이가 있다고 하며, 본국에 확인하여 줄것을 요청함.

　　6. 부채 탕감 문제와 관련, 일부 GULF 국가와 스페인등이, 전선국가의 부채에 대한 이자 상환이 직접적으로 BOP 에 영향을 미치는 만큼 원조액으로 계상하는 방안을 제시 하였으나, 주요 EC 국가 및 미국은 전선국가의 경제난국 해소에 직접적 도움이 된다고 보기에는 무리가 있으므로 필요시 별도 봉계를 작성, 참고자료로 사용토록 하는 방안을 검토하자고 함.

　　7. 전선국가외에 시리아, 모로코, 동구권 국가들에 대한 추가 원조 문제가 산발적으로 논의됨.

　　(대사 박동진-차관)

　　91.6.30. 까지

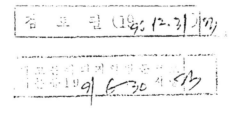

PAGE 2

USW(F) —3456

수신 : 장관 (미북. 동아, 재무부)

발신 : 주미대사.

제목 : 제안사태 제5차 식무희의 (의제)

GULF CRISIS FINANCIAL COORDINATION GROUP

WORKING COMMITTEE MEETING
December 11, 1990

AGENDA

배부처	장관실	차관실	일차보	이차보	기획실	의전장	아주국	미주국	구주국	중아국	국기국	경제국	통상국	정문국	영교국	총무과	감사파	공보관	의연원	청와대	총리실	안기부	실
	/	/	/	/				O						/	/	/						/	

I.   Introduction by Chair

II.   Review of Results of November 5 Rome Meeting

III. Recent Political Developments

IV.   Presentation by IMF and World Bank

      A.   IMF/World Bank Responses to Gulf Crisis

      B.   Economic Developments in and Status of Discussions with Egypt, Turkey, and Jordan

V.   Status of Commitments and Disbursements

      A.   Commitments and Disbursements to Egypt, Turkey, and Jordan

      B.   Prospects for Acceleration of Disbursements

      C.   Additional Commitments for 1991

VI.   Additional Assistance Efforts

VII. Next Steps

0004

THE WORLD BANK/IF M.I.G.A.

Headquarters: Washington, D.C. 20433 U.S.A.
Tel. No. (202) 477-1234 // Fax Tel. No. (202) 477-6391 // Telex No. RCA 248423
FACSIMILE COVER SHEET AND MESSAGE

DATE: December 11, 1990   NO. OF PAGES: 1   MESSAGE NUMBER:
(including this sheet)

TO
Name: Mr. Choi, Economic Section   Fax Tel. No.   9-202-797-0595
Organization: Embassy of Korea   City: Washington, D.C.
Country: U.S.A.

FROM
Name: Bruce Benton, Oncho Coordinator   Fax Tel. No.   202-473-54-50
Dept./Div. AF5PH   Dept/Div No.   22232
Room No. J-7257   Tel. No.   202-473-03-

SUBJECT: Contribution

MESSAGE:

Dear Mr. Choi,

Thank you for your telephone call this morning regarding the Republic of Korea's 1990 contribution to the Onchocerciasis (Riverblindness) Control Programme.

Payment of the US$60,000 should be made to:

USW(F)- 3435

수신:장관(경기)

발신:주미대사

계모: USW-
5489

첨부(1매)

International Development Association's Account T
Federal Reserve Bank of New York
Attn: Foreign Department
Reference: Onchocerciasis Control Programme Phase III
(Project No. 21530)

When making payment please instruct the Federal Reserve Bank of New York to advise the World Bank's Cash Management Department, 1) that the contribution is for the Onchocerciasis Control Programme, Phase III (Project No. 21530); 2) of the amount of the contribution received, and 3) of the date of receipt.

On behalf of the 11 African participating countries, and the other 23 donors to OCP, I would like to express our sincere appreciation for the Republic of Korea's continued support for, and active participation in, the Onchocerciasis Control Programme.

Sincerely yours,

Bruce Benton
Bruce Benton
Onchocerciasis Control Programme

Transmission authorized by: _Bruce Benton, Onchocerciasis Coordinator, AF5PH_

If you experience any problem in receiving this transmission, inform the sender at the telephone or fax number listed above.

1854 (2-90)

0005

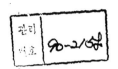

주　미　대　사　관

미국(경)764- *189*   1990. 10.23

수신 : 장　관

참조 : 미주국장 (사본 : 통상국장, 재무부 장관)

제목 : 페만사태 실무회의

　　　연 : USW - *4736*

　연호, 페만사태 지원국 제 3 차 실무회의 자료를 별첨 송부합니다.

첨부 : 동 자료 1부.　　끝.

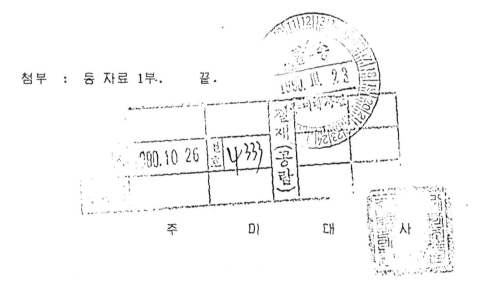

주　　　미　　　대　　　사

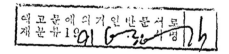

0006

TABLE — GULF CRISIS FINANCIAL ASSISTANCE *
1990 NEEDS AND DISBURSEMENTS TO DATE
(Millions of U.S. Dollars)

		TOTAL	Egypt	Turkey	Jordan	Unidentified 1/
GCC STATES		2640	2165	475	0	0
Saudi Arabia		1175	1175	0	0	0
Kuwait		765	540	225	0	0
UAE		700	450	250	0	0
EC		94	0	0	7	87
EC Budget		78	0	0	0	78
Bilateral:	2/	16	0	0	7	9
Germany		7	0	0	7	0
Italy		4	0	0	0	4
U.K.		5	0	0	0	5
OTHER EUROPE		30	0	0	0	30
Sweden		21	0	0	0	21
Switzerland		9	0	0	0	9
JAPAN		22	0	0	0	22
CANADA		6	0	0	0	6
TOTAL DISBURSEMENTS		3493	2615	725	7	146
ESTIMATED NEEDS	3/	4165	1125	1675	1365	–
DIFFERENCE		-672	1490	-950	-1358	146

* Does not include military assistance. Totals may not equal sum of components due to rounding.
  Based on data submitted to the Coordinating Group. Exchange rates as of New York close on 10/12/90.

1/ Unidentified between Egypt, Jordan, and Turkey. Includes humanitarian assistance.

2/ Other countries will be added as their bilateral disbursements are clarified.

3/ IMF/World Bank estimates (oil at $31/barrel) circulated to Group shown for illustrative purposes.
   Not intended to represent precise figure of needs.

0007

TABLE 2: GULF CRISIS FINANCIAL ASSISTANCE *
1990 COMMITMENTS AND ANTICIPATED DISBURSEMENTS
(Millions of U.S. Dollars)

10/19/90

	TOTAL	Egypt	Turkey	Jordan	Unidentified 1/
GCC STATES	6000	2680	550	0	2770
Saudi Arabia	2500	1675	oil	0	825
Kuwait	2500	555	300	0	1645
UAE	1000	450	250	0	300
Other GCC States	0	0	0	0	0
EC	564	189	102	131	142
EC Budget 2/	78	0	0	0	78
Bilateral:	486	189	102	131	64
France	*100*	*50*	*30*	*0*	*20*
Germany	*335*	*131*	*72*	*131*	*0*
Italy	*24*	*0*	*0*	*0*	*24*
Netherlands	*22*	*7*	*0*	*0*	*15*
U.K.	*5*	*0*	*0*	*0*	*5*
OTHER EUROPE	30	0	0	0	30
Sweden	21	0	0	0	21
Switzerland	9	0	0	0	9
JAPAN	600	300	200	100	0
CANADA	34	0	0	0	34
OTHER Korea	25	0	0	0	-0- 75
TOTAL COMMITMENTS	7228	3169	852	231	2976
ESTIMATED NEEDS 3/	4165	1125	1675	1365	–
DIFFERENCE	3063	2044	-823	~1134	2976

* Does not include military assistance. Totals may not equal sum of components due to rounding.

Based on data submitted to the Coordinating Group. Exchange rates as of New York close on 10/12/90.

1/ Unidentified between Egypt, Jordan, and Turkey. Includes humanitarian assistance.

2/ Other countries will be added as their bilateral disbursements are clarified.

3/ IMF/World Bank estimates (oil at $31/barrel) circulated to Group shown for illustrative purposes. Not intended to represent precise figure of needs.

0008

TABLE 3: GULF CRISIS FINANCIAL ASSISTANCE *
1991 COMMITMENTS
(Millions of U.S. Dollars)

10/19/90

	TOTAL	Egypt	Turkey	Jordan	Unidentified 1/
GCC STATES					
Saudi Arabia	0	0	0	0	0
Kuwait	0	0	0	0	0
UAE	0	0	0	0	0
Other GCC	0	0	0	0	0
EC	1549	520	0	13	1016
EC Budget 2/	678	0	0	0	678
Bilateral:	871	520	0	13	338
France	0	0	0	0	0
Germany	522	509	0	13	0
Italy	126	0	0	0	126
Netherlands	33	11	0	0	22
Unidentified	190	0	0	0	190
OTHER EUROPE					
Sweden	0	0	0	0	0
Switzerland	0	0	0	0	0
JAPAN	1400	97	100	150	1053
CANADA	34	0	0	0	34
KOREA	100	0	0	0	100
TOTAL COMMITMENTS	3083	617	100	163	2203
ESTIMATED NEEDS 3/	9415	2250	4235	2930	-
DIFFERENCE	-6332	-1633	-4135	-2767	2203

* Does not include military assistance. Totals may not equal sum of components due to rounding.

Based on data submitted to the Coordinating Group. Exchange rates as of New York close on 10/12/90.

1/ Unidentified between Egypt, Jordan, and Turkey. Includes humanitarian assistance.

2/ Other countries will be added as their bilateral disbursements are clarified.

3/ IMF/World Bank estimates (oil at $31/barrel) circulated to Group shown for illustrative purposes. Not intended to represent precise figure of needs.

TABLE 4: GULF CRISIS FINANCIAL ASSISTANCE *
TERMS AND CONDITIONS – 1990/91
(Millions of U.S. Dollars)

10/19/90

	Balance of Payments			Project Loans	Co-Financing	Unspecified	TOTAL
	Grants	In Kind	Loans				
GCC STATES	1000	300	0	500	0	4200	6000
Saudi Arabia	1000	oil		500		1000	2500
Kuwait		oil				2500	2500
UAE		300				700	1000
EC	338	0	678	512	0	585	2113
EC Budget			678			78	756
Bilateral: 1/	338	0	0	512	0	507	1357
France						100	100
Germany	338			512		7	857
Italy						150	150
Netherlands						55	55
U.K.						5	5
Unidentified						190	190
OTHER EUROPE	0	0	0	0	0	30	30
Sweden 2/						21	21
Switzerland						9	9
JAPAN 3/	29		600	176	150	1045	2000
CANADA						68	68
KOREA		60	40				100
TOTAL	1367	360	1318	1188	150	5928	10311

* Does not include military assistance. Totals may not equal sum of components due to rounding.

Based on data submitted to the Coordinating Group. Includes assistance to Egypt, Turkey, and Jordan. Exchange rates as of New York close on 10/12/90.

1/ Other countries will be added as their bilateral disbursements are clarified.

2/ Mainly grants.   3/ Loans are 30 years at 1% interest.

0010

TABLE 5

GULF CRISIS FINANCIAL ASSISTANCE

TOTAL COMMITMENTS VS. TOTAL NEEDS*
(\$ MILLIONS)

	TOTAL	EGYPT	TURKEY	JORDAN	UNSPECIFIED**
1990					
Commitments	7228	3169	852	231	2976
Needs	4165	1125	1675	1365	--
DIFFERENCE	3063	2044	-823	-1134	2976
1991					
Commitments	3083	617	100	163	2203
Needs	9415	2250	4235	2930	--
DIFFERENCE	-6332	-1633	-4135	-2767	2203
1990-1991					
Commitments	10311	3786	952	394	5179
Needs	13580	3375	5910	4295	--
DIFFERENCE	-3269	411	-4958	-3901	5179

---

* IMF/World Bank estimates (oil at \$31/barrel) circulated to Group for illustrative purposes. Not intended to represent precise figure of needs.

** Funding commitments for front line states, but not specifically earmarked for an individual country.

10/18/90

0011

TABLE 6

BILATERAL FINANCING COMMITMENTS TO OTHER COUNTRIES*
($ Millions)

Recipient	Bilateral Contributor	Committed	Disbursed
Syria	Saudi Arabia	1050	550
	Kuwait	500	250
	Sub-total	1550	800
Morocco	Kuwait	200	100
	France	230	0
	Sub-total	430	100
Lebanon	Kuwait	33	0
	Total	2013	900

* Reflects data provided at the GCFCG meeting on October 12, 1990.

10/19/90

0012

분류번호	보존기간

발 신 전 보

WIT-0958   901026 0956 AO   종별 : 긴급

번 호 :

수 신 : 주 이태리 <del>대사. 총영사</del>
           (마그)

발 신 : 장 관

제 목 : 걸프만사태 관련 공여국 회의

11.5. 귀지에서 개최될 예정인 걸프만사태 재정지원 공여국 제3차 조정회의에 <del>참의에</del> 아래 대표단이 참석예정인바 호텔예약등 필요한 조치를 취하기바랍.

  가) 항공일정

   11. 4.(일) 16:20 로마 도착(MS 791)

   11. 6.(화) 09:50 이스탄불 향발(AZ 700)

  나) 대표단 명단

   - 유종하 차관 (YOO, Chong - Ha)

   - 권병현 대사 (Kwon, Byong - Hyon)

   - 신국호 마그레브과장 (Shin, Kook - Ho)

   - 신각수 차관보좌관 (Shin, Kak - Soo)   끝.

                              (중동아국장 이 두 복)

예고 : 90.12.31.일반

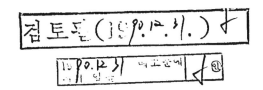

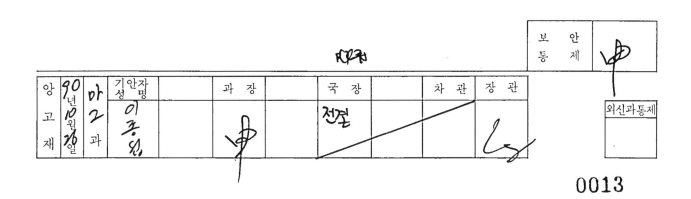

		기안자성명		과장	국장		차관	장관
앙고재	90년10월26일	이종임	마2과		전결			

보 안 통 제	
	외신과통제

0013

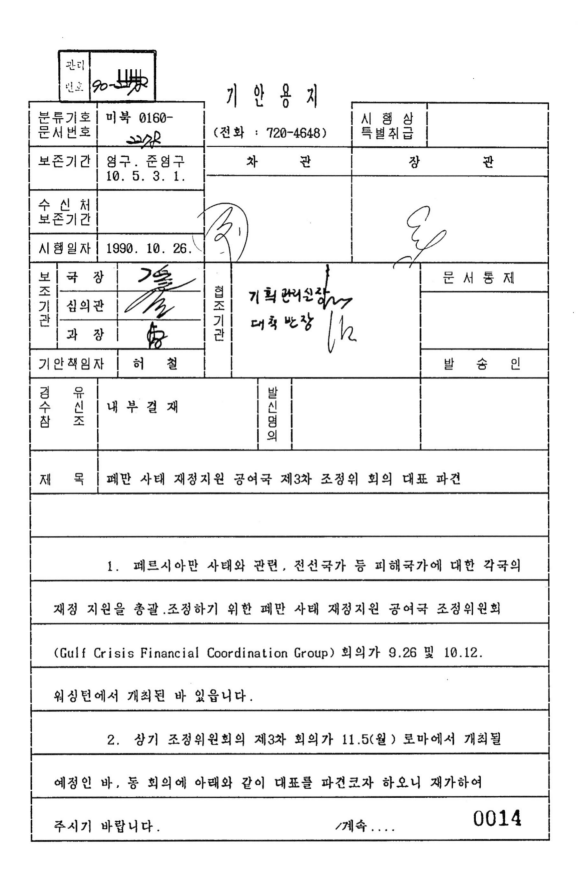

관리번호	90-삐旷			
분류기호 문서번호	미북 0160-ㅡ쟈	기 안 용 지 (전화 : 720-4648)	시 행 상 특별취급	
보존기간	영구 . 준영구 10. 5. 3. 1.	차 관	장 관	
수 신 처 보존기간				
시행일자	1990. 10. 26.			
보조 기관	국 장	협조 기관	기획관리신장 대착 반장	문 서 통 제
	심의관			
	과 장			
기안책임자	허 철			발 송 인
경 유 수 신 참 조	내 부 결 재	발 신 명 의		

제 목 페만 사태 재정지원 공여국 제3차 조정위 회의 대표 파견

  1. 페르시아만 사태와 관련, 전선국가 등 피해국가에 대한 각국의

재정 지원을 총괄.조정하기 위한 페만 사태 재정지원 공여국 조정위원회

(Gulf Crisis Financial Coordination Group) 회의가 9.26 및 10.12.

워싱턴에서 개최된 바 있읍니다.

  2. 상기 조정위원회의 제3차 회의가 11.5(월) 로마에서 개최될

예정인 바, 동 회의에 아래와 같이 대표를 파견코자 하오니 재가하여

주시기 바랍니다.   /계속....   0014

- 수석대표 : 유종하 차관

- 대   표 : 권병현 본부대사(이라크-쿠웨이트 사태 대책반장)

　　　　　 최영진 주미대사관 참사관

　　　　　 허 철 북미과 사무관　　　　　　끝.

예 고 : 90.12.31. 일반

0015

October 26, 1990

Mr. Jin Nyum   Mr. Lee Joung Binn
Vice Minister   Assistant Minister for Political Affairs
Ministry of Finance   Ministry of Foreign Affairs
Seoul   Seoul

Dear Vice Minister Jin and Assistant Minister Lee:

In our capacity as chair of the Gulf Crisis Financial
Coordination Group, we are circulating the attached agenda for
the meeting that the government of Italy will be hosting in Rome
on November 5.

We look forward to meeting with you in Rome to advance this
important international effort.

                    Sincerely,

David C. Mulford   Robert M. Kimmitt
Undersecretary of the   Undersecretary of
Treasury for International   State for Political
Affairs   Affairs

Attachment a/s

0016

AGENDA

I.   Welcoming Remarks by Italian Hosts

II.   Introduction by Chair

III.   Political Updates

IV.   Presentation by IMF and World Bank of Economic
       Developments and Status of Program Discussions in Egypt,
       Turkey and Jordan

V.   Status of 1990/1991 Commitments and Disbursements
       Relative to Requirements

       A.   Allocations to Egypt, Turkey and Jordan in 1990

       B.   Acceleration of Disbursements in 1990

       C.   Commitments and Disbursements in 1991

       D.   Terms and Conditions of Assistance

VI.   Discussion of Additional Assistance Efforts

VII.   Other Business and Concluding Remarks by Chair

VIII. Closing Remarks by Italian Hosts

0017

발 신 전 보

번   호 : WUS-3520   901026 1553 DP종별 :

수   신 : 주   미   대사. 총영사

발   신 : 장   관   (미북)

제   목 : 페만 사태 재정지원 공여국 제3차 조정위

대 : USW-4736

1. 11.5. 로마 개최 예정인 표제회의에 외무차관(수석대표), 권병현 대책 반장, 귀관 최영진 참사관(출장기간 11.3-7), 북미과 허철 사무관을 파견키로 결정 하였음.

2. 최 참사관의 워싱톤-로마 2등 왕복 항공료 보고 바라며, 차관은 주변국 경제지원을 위한 정부 조사단장으로 10.27(토)부터 이집트, 요르단, 시리아 방문후 11.4(일) 오후 로마 도착 예정임을 참고바람.   끝.

(미주국장 반 기 문)

예고 : 90.12.31. 일반

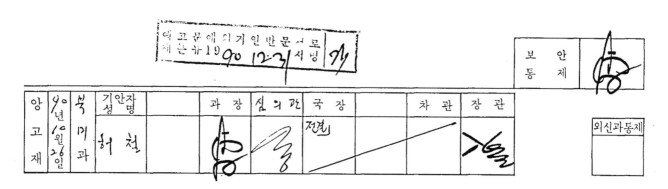

0018

발 신 전 보

번 호 : WIT-0961   901026 2308 CG   종별 :

수 신 : 주 이태리   대사. 통영자

발 신 : 장 관   (마그)

제 목 : 차관방문

연 : WIT-0958

1. 연호 유종하 차관 귀지 방문일정을 아래와 같이 변경함.

   가. 도착 : 11.4(일) 14:35 AZ 745

   나. 출발 : 11.6(화) 13:30 SQ 031

2. 권병현 대사는 별도 도착예정인바 일정 추후 통보하겠음.

(중동아국장 이 두 복)

예고 : 90.12.31. 일반

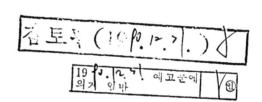

검 토 필 (1990.12.7.)

19 90.12.31 예고문에
의거 인바

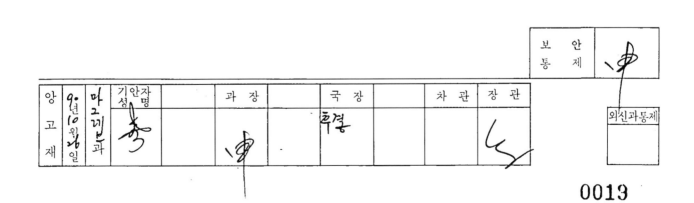

앙고재	90년 10월 30일	마그과	기안자성명		과 장		국 장		차 관	장 관	보 안 통 제
							확정				외신과통제

0019

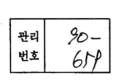

외 무 부

종 별 :

번 호 : ITW-1286   일 시 : 90 1026 1730

수 신 : 장관(마그,구일)

발 신 : 주 이태리 대사

제 목 : 걸프만 사태 관련 공여국 회의

대:WIT-0958

1.(631)(917) 대표단의 숙소로 아래와 같이 예약하였음.

O HOTEL DE LA VILLE (전화 06-6733)

.O SUITE 1 실: 51 만리라 (450 불 상당)

SINGLE(DOUBLE SIZE) 1 실 :30 만리라 (270 불상당)

TWIN 1 실 :30 말리라

2. 동회의 관련 금일 현재 파악된 바를 아래 보고함.

O 회의장소: 이태리 국고성

O 회의일정 (11.5(월))

10:30- 오전회의

13:30 공식오찬

오후회의(필요시)

O 참석국가: 30 개국

O 의제: 미국측으로부터 조만간 접수 예상. 끝

(대사 김석규-국장)

예고:90.12.31. 일반

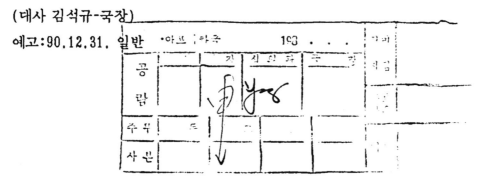

─────────────────────────────

중아국   구주국

PAGE 1   90.10.27   06:48

관리
번호 70-2270

분류번호 | 보존기간

발 신 전 보

번   호 : WIT-0969   901029 1910 FI   종별 :

수   신 : 주 이 태 리 대사. 총영사

발   신 : 장 관   (미북)

제   목 : 페만 사태 재정 지원 공여국 제3차 조정위

연 : WIT-0958, 961

1. 11.5. 로마에서 개최되는 표제회의에 아래와 같이 대표단을 파견키로 결정하였음.

    ㅇ 수석대표 : 유종하 차관

    ㅇ 대   표 : 이용성 재무부 기획관리실장

                권병현 본부대사(대책반장)

                최영진 주미 참사관

                허 철 북미과 사무관

2. 권병현 대사는 11.3(토) 14:10 도착(AZ 335), 11.5(월) 16:05 빈 항발(LH 1505)하고 허 사무관은 권 대사와 같이 도착, 11.7(수) 17:00 파리 항발 (AZ 320) 예정이니 숙소 예약(싱글 2실) 등 조치 바람.

3. 이용성 실장 출입국 일정은 추후 통보 예정인 바, 일단 11.3(토)부터 3박 숙소 예약(싱글 1실) 바람. 끝.

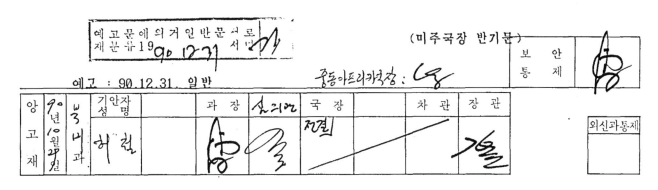

예고문에 의거 일반문서로
재분류 1990.12.31 서명
예고 : 90.12.31. 일반

(미주국장 반기문)
중동아프리카국장 :
보 안 통 제
외신과통제

앙고재 | 90년 10월 29일 북미과 | 기안자 성명 허철 | 과장 | 국장 전결 | 차관 | 장관

0021

분류번호	보존기간

발 신 전 보

번   호 : WFR-2037   901029 1911 FI 종별 :

수   신 : 주   불   대사 · 총영사

발   신 : 장   관 (미북)

제   목 : 국외여행 협조

    11.5. 로마 개최 페만 사태 재정 지원 공여국 제3차 조정위 대표단 중 권병현 본부대사와 허철 북미과 사무관이 아래와 같이 귀지 경유 예정이니 숙소(트윈 1실) 예약 등 조치 바람.

       - 11.2(금) 18:10 파리 도착(KE 901)

       - 11.3(토) 12:10 로마 항발(AZ 335).   끝.

                          (미주국장 반기문)

양고재	북미과	기안자		과장	심의관	국장		차관	장관		보안통제	외신과통제
90년 10월 2일						전결						

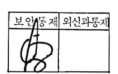

협조문용지

분류기호 문서번호	미북 0160- *δS*	협조문용지				
		(전화 : 720-4648)	결 재	담당	과장	심의관
시행일자	1990. 10. 29.					
수　신	영사교민국장	발　신	미 주 국 장 (서명)			
제　목	국외 출장 협조					

　　　　재무부 소속 직원이 아래와 같이 공무 국외출장 예정이오니 출국 신고

등 필요한 조치를 취하여 주시기 바랍니다.

　　　o 출 장 자 : 이용성 재무부 기획관리실장(1급)

　　　o 출장기간 : 90.11.2(금)-11.8(목)

　　　o 여행목적 : 국제회의 참석(로마)　　　끝.

0023

기 안 용 지

분류기호 문서번호	미북 0160-	(전화 : 720-4648)		시 행 상 특 별 취 급	
보존기간	영구. 준영구 10. 5. 3. 1.	차 관		장 관	
수 신 처 보존기간					
시행일자	1990. 10. 29.				
보조 기관	국 장	협조 기관	기획관리실장	문 서 통 제	
	심의관				
	과 장				
기안책임자	허 철			발 송 인	
경수참	유신조	내 부 결 재	발신명의		

제 목	페만 사태 재정지원 공여국 제3차 조정위 회의 대표 추가 임명

　　　1. 11.5(월) 로마에서 개최될 예정인 페르시아만 사태 재정지원

공여국 제3차 조정위 회의 관련, 외무차관을 수석대표로 하는 대표단을 구성,

10.26. 재가를 득한 바 있읍니다.

　　　2. 연이나, Mulford 미국 재무차관은 진념 재무부 차관앞 별첨

공한을 통하여 진념 차관의 상기 회의 참석을 요청하여 온 바, 재정지원

공여국들의 재무부 인사들이 동 회의에 다수 참석할 예정인 점 등을 고려,

/계속/

0024

이용성 재무부 기획관리실장(1급)을 추가로 파견코자 하오니 재가하여 주시기

바랍니다.

첨 부 : Mulford 재무차관의 진념 재무부 차관앞 서한 사본.   끝.

예 고 : 90.12.31.일반

예고문에 의거 일반문서로
재분류 1990 12.3 서명

0025

재 무 부

외정 : 2224-555   (503 - 9262)   1990. 10. 30

수신 : 외무부장관

참조 : 미주국장

제목 : 제3차 페만사태 관련 금융지원 조정그룹(Gulf Crisis Financial

　　　 Coordination Group) 회의 참석

'90.11.5 이탈리아 로마에서 개최되는 표제회의에 다음과 같이

참석할 수 있도록 조치하여 주시기 바랍니다.

- 다 음 -

　　1.　출 장 자 : 기획관리실장　이 용 성

　　2.　출장기간 : '90.11.2 ~ 11.7 (5박6일)

　　3.　출 장 지 : 이탈리아, 로마

　　4.　여행경비 : 외무부에서 부담

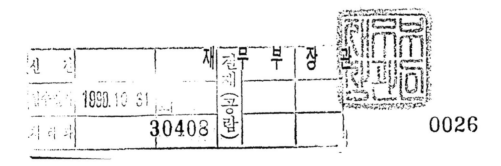

0026

외 무 부

종 별 : 지 급

번 호 : ITW-1294　　　　　　　　　일 시 : 90 1029 1740

수 신 : 장관(미북)

발 신 : 주 이태리 대사

제 목 : 페만사태 재정지원 공여국 제 3차 조정회의

대:1) WIT-0966(마그)

2) WIT-0969

연:ITW-1286

1. 표제회의 의제를 아래 보고함.

가. WELCOMING REMARKS BY ITALIAN HOSTS

나. INTRODUCTION BY CHAIR

다. POLITICAL UPDATE

라. PRESENTATION BY IMF AND WORLD BANK ON ECONOMIC

마. DEVELOPMENTS AND STATUS OF PROGRAM DISCUSSIONS IN EGYPT, TURKEY AND JORDAN

바. STATUS OF 1990/1991 COMMITMENTS AND DISBURSEMENTS RELATIVE TO REQUIREMENTS

1) ALLOCATIONS TO EGYPT, TURKEY AND JORDAN IN 1990

2) ACCELERATION OF DISBURSEMENTS IN 1990

3) COMMITMENTS AND DISBURSEMENTS IN 1991

4) TERMS AND CONDITIONS OF ASSISTANCE

사. DISCUSSION OF ADDITIONAL ASSISTANCE EFFORTS

아. OTHER BUSINESS AND CONCLUDING REMARKS BY CHAIR

자. CLOSING REMARKS BY ITALIAN HOSTS

2. 다음사항 회시 바람.

가. 대호 1) 차관일행의 다마스커스발 AZ745 편 좌석확보를 교섭중인바, 동항공편 수행직원 유무(수행시 명단) 및 최영진 주미참사관의 당지 도착일정

미주국　1차보　구주국　중아국 대책반

PAGE 1　　　　　　　　　　　　　　　　90.10.30　04:27

외신 2과　통제관 CA

0027

나. 주재국 홍보에 필요하니 아국대표단의 영문명
3. 당지에는 수영장(실내)있는 호텔이 없어 연호 호텔에 예약예정임.끝
(대사 - 국장)
예고:90.12.31. 일반

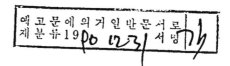

분류번호	보존기간

발 신 전 보

번 호 : WIT-0972   901030 1911 FI 종별 : <u>지 급</u>

수 신 : 주 이태리 대사. 총영사

발 신 : 장 관 (미북)

제 목 : 페만 사태 재정지원 공여국 제3차 조정회의

　　　　　대 : ITW-1294

　　　　　연 : WIT-0969

1. 표제회의 대표단 영문 성명은 아래와 같음.

　　ㅇ 수석대표 : Yoo, Chong Ha 차관

　　ㅇ 대　　표 : Lee, Yong-Sung 재무부 기획관리실장

　　　　　　　　(Assistant Minister for Planning and Management)

　　　　　　　　Kwon, Byong Hyon 본부 대사

　　　　　　　　Choi, Young Jin 주미 참사관
　　　　　　　　Shin, Kook-Ho 마그레브과장 (추가)
　　　　　　　　Huh, Chul 북미과 사무관

2. ~~반국호 마그레브과장편~~ 신각수 보좌관은 상기와는 별도로 차관을 수행, 귀지 도착 예정임.

3. 이용성 실장은 11.3(토) 18:40 AZ 333편 귀지 도착, 11.6(화) 15:00 AE 173편 출발 예정이라 함.　　　끝.

(미주국장 반기문)

예고 : 90.12.31. 일반

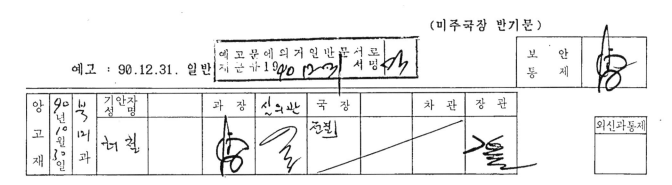

앙 고 재	90 년 10 월 30 일	북 미 과	기안 자성 명 허철		과 장		국 장 전결		차 관		장 관

보 안 통 제	
외신과통제	

0029

분류번호	보존기간

발 신 전 보

번 호 : WUS-3565   901030 1909 FI 종별: 지 급

수 신 : 주   미   대사 · 총영사   (사본 : 주이태리 대사)

발 신 : 장 관   (미북)

제 목 : 페만 사태 재정지원 공여국 제3차 조정회의

연 : WUS-3250

    귀관 최영진 참사관의 표제회의 참석 일정 지급 보고 바람. (주이태리
대사에 중계요). 끝.

(미주국장 반기문)

예고 : 90.12.31. 일반

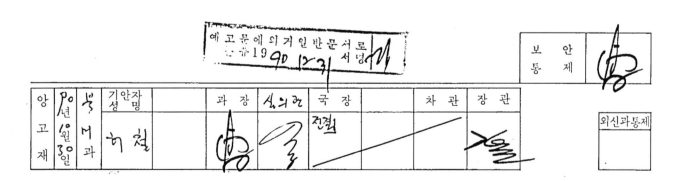

앙고 고재	90 년 10 월 30 일 봉 ㅁ 과	기안자 성 명 허 철		과 장	국 장 전결		차 관	장 관		보 안 통 제
										외신과통제

第3次 괴湾 事態 財政 支援 供與國 調整會議
代表 參考資料

90.11.5.

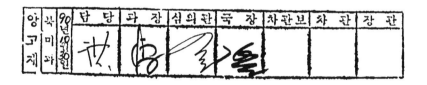

美 洲 局

0031

目 次

I. 議題

II. 基調 發言

III. 各 議題別 政府 立場

  1. 90年度 이집트, 터키, 요르단別 配定 問題

  2. 90年度 支援額 執行 加速化 問題

  3. 91年度 支援 發表額 및 執行額

  4. 支援 方法 詳細

  5. 追加 支援 努力에 대한 討議

0032

I. 議 題

1. 主催國 歡迎辭 (이태리 代表)

   Welcoming Remarks by Italian Hosts

2. 議長 인사말

   Introduction by Chair

3. 最近 政治 狀況 報告

   Political Updates

4. 前線國家 經濟 狀況 發展 및 프로그램 協議 現況 報告

   Presentation by IMF and World Bank of Economic Developments and
   Status of Program Discussions in Egypt, Turkey and Jordan

5. 1990/91 年度 支援 發表額, 既執行額 對比 所要額 現況

   Status of 1990/91 Committments and Disbursements Relative to
   Requirements

   가. 90年度 이집트, 터키, 요르단別 配定

      Allocations to Egypt, Turkey and Jordan in 1990

   나. 90年度 支援額 執行 加速化 問題

      Acceleration of Disbursements in 1990

0033

다. 91年度 支援 發表額 및 執行額

　　Committtments and Disbursements in 1991

라. 支援 方法 詳細

　　Terms and Conditions of Assistance

6. 追加 支援 努力에 대한 討議

　　Discussion of Additional Assistance Efforts

7. 其他事項 및 議長 閉會辭

　　Other Business and Concluding Remarks by Chair

8. 主催國 閉會辭

　　Closing Remarks by Italian Hosts

0034

II. 基調 發言

發言權을 주신 議長께 感謝드립니다.

우선 이 아름다운 都市 로마에서 금번 제3차 調整會議를 主催한 이태리 政府의 勞苦에 致賀의 말씀을 드립니다.

또한 이라크에 대한 經濟 制裁 措置로 인해 막대한 經濟的 被害를 입고 있는 前線國家들에 대한 效果的인 支援이라는 共同 目標를 위해 美國을 비롯한 오늘 會議에 參加한 여러 友邦國 代表들의 努力에 敬意를 표하고자 합니다. 아울러 이 자리를 빌어 펄포드 議長, 키미트 議長을 비롯한 友邦國 代表들의 努力으로 今番 事態가 조속한 時日內에 平和的으로 解決되기를 祈願합니다.

前線國家들에 대한 大韓民國 政府의 詳細 支援額을 말씀 드리기에 앞서 금번 支援 決定時 大韓民國 政府가 考慮한 몇가지 事項들을 먼저 말씀드리고자 합니다.

大韓民國은 韓國戰時 UN 旗幟아래 美國을 비롯한 16개 友邦國들의 支援으로 共産 侵略을 격퇴하고 이에 이은 각고의 努力으로 오늘날과 같은 發展을 이룩할 수 있게 되었습니다. 그러므로 韓國 政府와 韓國民들은 무력에 의한 不法的인 侵略 行爲는 용인되어서는 안된다는 國際法과 國際正義에 입각하여 UN 安保理의 對 이라크 制裁 決議를 尊重하고, 我國의 伸張된 國威에 副應하여 國際平和 維持 努力에 일익을 擔當해야 한다는 判斷下에 페르시아灣의 秩序 回復을 위한 國際的 努力을 支援키로 決定한 것입니다.

0036

멀포드 議長, 키미트 議長, 그리고 友邦國 代表 여러분 !

現在 外務次官을 團長으로 하는 韓國 政府 調査團이 이라크에 대한 經濟 制裁措置로 인하여 直接的인 被害를 입고 있는 이집트, 요르단, 시리아등 3個國家를 巡訪하고 있으며, 또한 本人은 이 會議가 끝난후 같은 調査團을 이끌고 나머지 前線國家인 터어키를 訪問할 예정입니다. 本人은 금번 巡訪 期間中 이들 前線國家 모두가 그들의 막대한 被害에도 불구하고 中東 地域內 秩序 및 平和 回復이라는 共同 目標를 위해 最大限의 努力과 犧牲을 감수하고 있는 것을 보고 크게 감명을 받았으며, 韓國 政府는 이들의 편에 서서 이들과 效果的인 支援 方法에 대해 진지한 討議를 가지는 등 앞으로도 最大限의 努力을 傾注할 豫定입니다.

大韓民國 政府가 支援키로 약속한 周邊國 支援 詳細에 대해 말씀드리겠습니다.

韓國 政府는 前線國家에 대한 조속한 支援이 切實하다는 判斷下에 周邊國 經濟 支援 總額 1億弗中 7,500万弗을 90年度 支援分에 우선 配定하였으며 91年度 支援額으로는 2,500万弗을 策定해 놓고 있습니다.

우선 90년도 支援分 7,500만불중 4,000만불은 開途國에 대한 長期低利 借款인 對外 協力 基金으로 支援하며, 被害國이 必要로하는 生必品 2,400만불을 支援 할 豫定입니다. 또한 各國의 難民 輸送을 支援하기 위해 國際 移民機構(I.O.M.)에 대해서도 50만불을 寄與할 豫定입니다.

0037

國別 詳細 支援額과 品目들은 금번 정부 調査團 訪問 結果를 土臺로, 앞으로도 受援國 政府와 繼續 協議를 거쳐 確定할 豫定이며, 91년도 支援 部分도 國內 必要 節次가 끝나는 대로 早速 執行할 計劃임을 追加로 말씀드리고자 합니다.

本人은 韓國 政府의 支援이 미약하나마 이들 國家의 經濟的 被害를 克服하는데 도움이 되기를 바라며, 페르시아灣 地域의 平和와 秩序 回復을 위한 우리 友邦들의 努力이 結實을 맺어 事態가 早速히 解決되기를 거듭 기원하는 바입니다.

感謝합니다. 議長

0038

Thank you, Mr. Chairman, for giving me the floor.

May I extend my sincere appreciation to the Italian government for its hosting of the Third Meeting of the Gulf Crisis Financial Coordination Group in this beautiful city of Rome.

And I would also like to express my respects to all the delegates present here for their devoted efforts to provide the front-line states with effective support so that they could make up for the severe economic losses caused by the sactions against Iraq. I earnestly hope that the efforts of Chairmen Mulford and Kimmitt and other delegates will lead to a peaceful resolution of the Gulf Crisis in the nearest future.

Before explaining the contents of the support to the front-line states to be provided by the Korean government, I would like to mention briefly about Korean government's position regarding economic assistance to the front-line states.

Although the development of Korea during the past decades was achieved through arduous efforts of the Korean people, it would not have been possible without the dedicated efforts and sacrifices of the 16 friendly countries

0039

which came to our help during the Korean War under the banner of the United Nations.

Through this tragic fratricidal war, we have learned an invaluable lesson that aggressions by force should never be tolerated by any standard of civilized community. The government and people of the Republic of Korea fully support the United Nations Security Council resolutions including the one imposing economic sanctions against Iraq. As a member of the international community, we believe that we should bear a fair share in the international efforts to maintain world peace and stability, thus helping restore the peace and stability in the Gulf area.

Chairman Mulford, Chairman Kimmitt, Distinguished Delegates,

I would like to inform you that a high-powered delegation led by Vice Foreign Minister is now visiting three countries - Egypt, Jordan and Syria - to discuss their needs and our support plans. I will personally lead the survey team to Turkey to consult with the Turkish government. The Korean government is deeply impressed to see the three countries braving huge economic losses and making their utmost efforts for the common goal of recovering peace and order in the Middle East. The Republic

0040

of Korea will firmly stand on their side and do her best to make their efforts rewarding.

Now let me brief you on the details of the support Korea has promised to render to the front-line states.

Considering the urgent need for support to those countries, Korean government plans to disburse 75 million US dollars out of a total of 100 millions US Dollars within this year, and remaining 25 million US Dollars in 1991.

Out of the 75 million US Dollars earmarked for disbursement in 1990, 40 million US Dollars will come from Economic Development Cooperation Fund (EDCF) which provides long-term low-interest loans to developing countries. The Korean government also plans to disburse 24 million US Dollars in the form of daily necessities. Another half million has already been pledged to the International Organization on Migration(I.O.M.) to help the refugee transportation.

The amount and items to be provided to respective country will be decided in consultation with the recipient countries on the basis of the

0041

results of Korean survey team's visit to those countries. I would like to add that the support plan for the year of 1991 will be implemented as soon as necessary domestic procedure is completed.

It is our sincere hope that our contribution, though modest, will be of help to those countries in their efforts to recover from the economic losses. I would also like to reiterate the earnest wish of the government and people of the Republic of Korea that the common efforts by our friendly peace-loving countries will bear fruit and contribute to an early resolution of the Gulf Crisis.

Thank you.

0042

Ⅲ. 各 議題別 政府立場

0043

1. 90년도 이집트, 터키, 요르단別 配定 問題

(Allocations to Egypt, Turkey and Jordan in 1990)

가. 美側 資料

各國別 對 前線國家 支援 發表額 對比 總 所要額

(單位 : 100万弗)

國家 \ 前線國家		計	이집트	터어키	요르단	其他
'90	支援發表額	7,228	3,169	852	231	2,976
	所要額	4,165	1,125	1,675	1,365	-
	差額	3,063	2,044	- 823	-1,134	2,976
'91	支援發表額	3,083	617	100	163	2,203
	所要額	9,415	2,250	4,235	2,930	-
	差額	-6,332	-1,633	-4,135	-2,767	2,203
'90 -'91	支援發表額	10,311	3,786	952	394	5,179
	所要額	13,580	3,375	5,910	4,295	-
	差額	-3,269	411	-4,958	-3,901	5,179

0044

'90年度 各國別 對 前線國家 支援額 및 執行 豫想額

(單位：100万弗)

	前線國家 國家	計	이집트	터어키	요르단	其他 (人道的支援 包含)
GCC 國家	小　計	6,000	2,680	550	0	2,770
	사우디	2,500	1,675	oil	0	825
	쿠웨이트	2,500	555	300	0	1,645
	U A E	1,000	450	250	0	300
EC	小　計	564	189	102	131	142
	EC 豫算	78	0	0	0	78
	各國小計	486	189	102	131	64
	프랑스	100	50	30	0	20
	獨　逸	335	131	72	131	0
	이태리	24	0	0	0	24
	和　蘭	22	7	0	0	15
	英　國	5	0	0	0	5

0045

	前線國家 國家	計	이집트	터어키	요르단	其他 (人道的 支援 包含)
其他 유럽	스웨덴	21	0	0	0	21
	스위스	9	0	0	0	9
日 本		600	300	200	100	0
카 나 다		34	0	0	0	34
韓 國		75	0	0	0	75
總 支援額		7,228	3,169	852	231	2,976
總 所要額		4,165	1,125	1,675	1,365	-
差 額		3,063	2,044	- 823	-1,134	2,976

0046

나. 美側 立場

ㅇ 이집트, 터어키, 요르단의 支援額 對比 被害額('90)은 아래와 같음.

(單位 : 100万拂)

區分 \ 受援國	이 집 트	터 어 키	요 르 단
支 援 額	3,169	852	231
被 害 額	1,125	1,675	1,365
差 額	2,044	- 823	-1,134

ㅇ 對이집트 支援 편중으로 터어키, 요르단에 대한 配定 增額을 希望

- 1,2차 調整會議時까지 요르단의 經濟 制裁 措置에 대한 微溫的 態度 指摘 結果

다. 我國 政府 立場

ㅇ 各國別 支援額 詳細

- 이집트 : 總 2,300万弗 (EDCF 1,500万弗, 生必品 800万弗)

  * 軍需物資 700万弗은 別途

- 터 키 : 總 200万弗 (EDCF 1,500万弗, 生必品 500万弗)

- 요르단 : 總 1,500万弗 (EDCF 1,000万弗, 生必品 500万弗)

- 시리아 : 總 400万弗 (生必品 400万弗)

  * 軍需物資 600万弗은 別途

* 軍需物資 支援은 多國籍軍 支援 部分으로 분류되므로 同 部分 除外 發表가 바람직함.

0047

° 國別 配定額 變更은 현시점에서 問題点 많음.

　- 調査團 訪問時 協議 結果를 土臺로 生必品 部分中 多少의 變更은 可能

2. 90年度 支援額 執行 加速化 問題

(Acceleration of Disbursements in 1990)

가. 美側 資料

'90年度 各國別 對 前線國家 支援 旣執行額 및 所要額 現況

(單位 : 100万弗)

國家	前線國家	計	이집트	터어키	요르단	其 他 (人道的支援 包含)
GCC 國家	小 計	2,640	2,165	475	0	0
	사 우 디	1,175	1,175	0	0	0
	쿠웨이트	765	540	225	0	0
	U A E	700	450	250	0	0
EC	小 計	94	0	0	7	87
	EC 次元	78	0	0	0	78
	各國 小計	16	0	0	7	9
	獨 逸	7	0	0	7	0
	이 태 리	4	0	0	0	4
	英 國	5	0	0	0	5

0048

前線國家 國家		計	이집트	터어키	요르단	其 他 (人道的支援 包含)
其他 유럽	小　計	30	0	0	0	30
	스웨덴	21	0	0	0	21
	스위스	9	0	0	0	9
日　本		22	0	0	0	22
카나다		6	0	0	0	6
總 支援執行		3,493	2,615	725	7	146
支援所要規模		4,165	1,125	1,675	1,365	-
差　額		- 672	1,490	- 950	-1,358	146

※　被害額 算定時 基準 油價 :　$31/barrel

0049

나. 美側 立場

ㅇ 各國別 支援 發表額과 실제 執行額間 差異를 줄이기 위해 '90년도
支援額의 早速한 執行 希望

ㅇ 周邊國 經濟支援 問題는 對이라크 經濟 制裁 措置에 따른 被害 보전
이므로 이미 被害는 發生했으며 同 被害는 時間의 經過에 따라 누증
되고 있다는 判斷을 前提

ㅇ 對이라크 經濟 制裁 措置 實効化를 위해서 早速한 對前線國家 被害
보전 重要性 強調

다. 我國 政府 立場

ㅇ 政府 調査團의 受援國 巡訪을 통한 受援國과의 協議 節次 開始 積極 弘報

ㅇ 아직 國會가 공전중이나 12.2이 예산안 처리 법정 시한이며 必要 國內
節次가 終了되는 12.12. 이후에는 90년도 支援分 7,500万弗 全額의
執行이 可能
  - EDCF 借款은 受援國 希望 Project의 妥當性 檢討等에 多少 時日 소요
  - 執行時期는 受援國과의 協議 期間에 달려있음

ㅇ EDCF 借款 部分을 제외한 나머지 支援 發表 部分의 年內 執行 可能性
強調

0050

3. 91年度 支援 發表額 및 執行額

(Committments and Disbursements in 1991)

가. 美側 資料

'91年度 各國別 對 前線國家 支援額

(單位 : 100万弗)

國家 \ 前線國家		計	이집트	터어키	요르단	其 他 (人道的支援 包含)
GCC 國家	小 計	0	0	0	0	0
	사우디	0	0	0	0	0
	쿠웨이트	0	0	0	0	0
	U A E	0	0	0	0	0
EC	小 計	1,549	520	0	13	1,016
	EC 次元	678	0	0	0	678
	各國小計	871	520	0	13	338
	프랑스	0	0	0	0	0
	獨 逸	522	509	0	13	4

0051

	前線國家 國　家	計	이집트	터어키	요르단	其　他 (人道的支援 包含)
	이태리	126	0	0	0	126
	네덜란드	33	11	0	0	22
	未　定	190	0	0	0	190
其他 유럽	小　計	0	0	0	0	0
	스웨덴	0	0	0	0	0
	스위스	0	0	0	0	0
日　本		1,400	97	100	150	1,053
카나다		34	0	0	0	34
韓　國		25	0	0	0	25
總 支援額		3,083	617	100	163	2,203
總 所要額		9,415	2,250	4,235	2,930	-
差　　額		-6,332	-1,633	-4,135	-2,767	2,203

0052

나. 美側 立場

ㅇ 今年中 事態 終決의 境遇에도 前線國家의 被害는 旣 發生한 것이므로
同 被害에 대한 보전은 中東 地域 平和 定着에 필수적이라 判斷

ㅇ 90년도 支援分 執行에 몰려있는 支援 供與國의 關心을 91년도 支援
發表에도 關心을 가지도록 督勵中

┌─────────────────────┐
│ 다. 我國 政府 立場 │
└─────────────────────┘

ㅇ 91년도 周邊國 經濟支援에 割當된 金額 規模 2,500万弗의 發表 可能

ㅇ 支援國, 支援 品目 및 支援 方法 等은 아직 未定임도 添言

4. 支援 方法 詳細

(Terms and Conditions of Assistance)

가. 美側 資料

90/91년도 對 前線國家 支援 方法

(單位 : 100万弗)

	Balance of Payment			Project Loans	Co-Financing	Unspecified	TOTAL
	Grants	In Kind	Loans				
GCC STATES	1,000	300	0	500	0	4,200	6,000
Saudi Arabia	1,000	oil		500		1,000	2,500

0053

	Balance of Payment			Project Loans	Co-Financing	Unspeci fied	TOTAL
	Grants	In Kind	Loans				
Kuwait						2,500	2,500
U A E		300				700	1,000
EC	338	0	678	512	0	585	2,113
EC Budget			678			78	756
Bilateral:	338	0	0	512	0	507	1,357
France						100	100
Germany	338			512		7	857
Italy						150	150
Netherlands						55	55
U.K.						5	5
Unidentified						190	190
OTHER EUROPE	0	0	0	0	0	30	30
Sweden						21	21
Switzerland						9	9
JAPAN	29		600	176	150	1,045	2,000
CANADA						68	68
KOREA		60	40				100
TOTAL	1,367	360	1,318	1,188	150	5,928	10,311

0054

나. 美側 立場

◦ 前線國家의 現 被害 狀況을 考慮, 外債 蕩減, 現物 無償 供與 等을 勸誘

◦ 借款 提供時 特殊 考慮를 適用, 可能한 最低 金利 및 長期 償還 條件
  으로 提供 希望

다. 我國 政府 立場

◦ EDCF 借款 供與 條件 說明

그룹 分類	分　　　類	支 援 條 件	
		金利	償還期間(据置)
I	UN 分類 最貧國	2.5%	25年 (7年)
II	'87 1인당 GNP 940불 以下	3.5%	20年 (5年)
III	'87 1인당 GNP 1,950불 以下	4.2%	20年 (5年)
IV	'87 1인당 GNP 1,941불 以上	5.0%	20年 (5年)

＊ 이집트는 그룹 II, 터어키 및 요르단은 그룹III에 속함.

◦ 生必品, 쌀등 現物 支援은 受援國 希望에 따른 無償 供與 性格의
  支援임을 强調

0055

5. 追加 支援 努力에 대한 討議
(Discussion of Additional Assistance Efforts)

가. 美側 資料

前線國家 以外 國家에 대한 支援額

(單位：100万弗)

受援國	支援國	支援發表額	執行額
시리아	사우디	1,050	550
	쿠웨이트	500	250
	小計	1,550	800
모로코	쿠웨이트	200	100
	프랑스	230	0
	小計	430	100
레바논	쿠웨이트	33	0
計		2,013	900

0056

나. 美側 立場

ㅇ 上記 資料와 같이 支援國의 兩者 關係를 考慮한 前線國家 以外 國家에
   대한 直接 支援도 勸誘

ㅇ 脫 冷戰 時代 조류에 따른 民主化 等 過渡期的 狀況을 겪고 있는
   東歐諸國의 被害 보전에 대한 關心 集中 必要性을 積極 强調
   - 1,2次 調整會議時 美側 同 必要性 數次 强調

┌─────────────────────────────┐
│   다. 我國 政府 立場   │
└─────────────────────────────┘

ㅇ 修交 基盤 造成을 위한 시리아에 대한 特別 考慮 方針 美側에 旣傳達

ㅇ 今番 我國의 支援은 우리 與件上 最大限의 支援이므로 現 時點에서
   受援國의 擴大는 考慮치 않고 있음.

0057

관리
번호 A-2204

외 무 부

종 별 : 지 급

번 호 : USW-4861   일 시 : 90 1030 1016

수 신 : 장관(미북) 사본:주이태리대사-중계필

발 신 : 주 미 대사

제 목 : 페만사태 재정지원 공여국 제3차 조정위

대:WUS-3565

대호 최영진 참사관의 표제회의 참석일정 아래 보고함.

11.3(토) 14:23 TWA 410 편 워싱톤 출발(뉴욕경유)

11.4(일) 08:35 TWA 840 편 로마 도착

11.7(일) 11:00 TWA 841 편 로마출발(뉴욕 경유)

17:58 TWA 703 편 워싱톤 도착

(대사 박동진- 국장)

90.12.31. 일반

예고문에의거일반문서로
재분류 1990 12.31 서명

미주국

관리 번호	A-2305

외 무 부

종 별 : 지급

번 호 : ITW-1295   일 시 : 90 1030 1710

수 신 : 장관(미북,마그)

발 신 : 주 이태리 대사

제 목 : 페만사태 공여국 회의

대:WIT-0972

1. 당지는 11.1.-4.간 연휴로 호텔 예약이 어려운 실정인바, 대호 신국호과장의 당지 도착 및 출발일정 지급 회시 바람.

2. 참고로 당관은 SUITE 1 실, SINGLE 6실 예약 교섭중임.끝
(대사-국장)

예고:90.12.31. 일반

예고문에 의거 일반문서로 재분류 1990. 12.31 서명

미주국   중아국

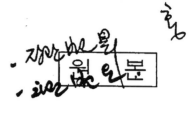

외 무 부

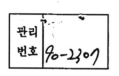

종   별 : 지급

번   호 : USW-4879   일   시 : 90 1030 1916

수   신 : 장관(미북, 경이, 재무부)사본차관(주 이집트 대사 경유)-본부 중계요

발   신 : 주 미 대사

제   목 : 페만 사태 재정 지원 공여국 제 4차 실무위

연 USW-4736, 주미(경) 764-189

1. 금 10.30(화) 1430-1700 페만 사태 제 4 차 실무위가 연호에 이어 아일랜드, 덴마크, 폴투갈, 룩셈브르크, 그리스, 오지리가 추가로 참가한 가운데, DALLARA 재무부 차관보 및 MCALLISTER 국무부 차관보 공동 주재로 개최된바, 당관에서는 최영진 참사관및 허노중 재무관이 참석하였음.

2. 개회 벽두, 국무부 MCALLISTER 차관보는 걸프 지역 정세를 설명하면서 현지에 미군 20 만 및 25 개국의 다국적군이 주둔하고 있고, 유엔에서 10 개의 데이락 결의안을 통과 시켰으며, 29 개국이 전선국가에 대한 경제 원조에 참가함으로서 -이라크의 점령지 무조건 철수-라는 목표를 달성하기 위한 MOMENTUM 을 쌓아 가고 있다고 언급함.

3. 이어 IMF 및 IBRD 측의 전선 3 개국(이집트, 터키, 요르단)과의 개별적인 접촉 결과에 대한 설명이 있었는바, 이집트의 경우 실질적인 경제 손실이 당초보다 약 10 프로 큰것으로 나타났고, 터키와 요르단의 경우 경제적 손실이 큰데 비하여 경제 원조가 미미하여 시급한 원조 시행이 요청된다고 보고함.

4. 이어서 연호 도표(수정본)에 의거

가. 전선 3 개국에 대한 90 년도 원조 배당액

나. 91 년도 약속분 일부의 90 년도 조기 이행

다. 91 년도 약속및 이행 금액

라. 경제 원조의 내역및 조건

에 관한 각국별 검토가 있었음.

5. DALLARA 차관보는 특히 일본, 사우디, 쿠웨이트, UAE, 독일등 주요 원조국들에게 91 년도 약속분의 90 년도 조기 이행및 터키와 요르단에 대한 부족액

미주국   경제국   재무부   대책반

원조 방안 강구를 촉구하였음.

6. DALLARA 차관보는 과거 유사한 경험을 겪은 한국의 경우, 국내 어려움에도 불구하고 경제력에 비하여 많은 액수의 경제 원조를 하고 있다고 평가하였고, 이에 대해 최참사관은 한국이 90 년도 및 91 년도 2 개년도분으로 1 억불 경제원조를 약속하였으나, 90 년도 조기 이행 필요성을 감안, 90 년도에 7 천 5 백만불을 우선 배정하였음을 상기 시키고, 현재 외무 차관을 단장으로 하는 조사 사절단이 전선 국가를 방문, 협의중이며, 11.5 로마회의에도 직접 참석 각국별 협의 결과에 따라 잠정 할당 내역을 밝힐수 있을것이라고 설명하였음.

7. 로마 3 차 조정위와 관련하여, DALLARA 차관보는 그간 4 차에 걸친 실무회의 결과가 결실을 맺을수 있기를 희망한다고 하면서, 각국별 사정과 한계가 있겠지만 전선 3 개국이 이번 사태로 인한 경제적 손실을 보상 받지 못할 경우 커다란 부정적 효과가 발생할수 있으므로 라마 회의시까지는 각국별로 최대한의 원조 가능액과 할당 내역이 집계될수 있기를 바란다고 하고 원조 내역 언론 공개여부도 결정할수 있기를 희망하였음.

8. 상기 4 항 최신 집계 자료는 파편 송부하며 1 부는 최참사관이 지참, 로마회의 이전에 단장께 보고토록 하겠음.

(대사 박동진-국장)

90.12.31 일반

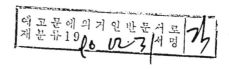

분류번호	보존기간

발 신 전 보

번   호 : **WIT-0981**   901101 1753 DQ   종별 : **지 급**

수   신 : 주 이태리 대사. 총영사 ~~──────~~   (사본 : 주요르단 대사 경유
차관, 주미 대사)

                                 WJO -0430   WUS -3592

발   신 : 장   관   (미북)

제   목 : 차관 일정 변경

    1. 걸프만 사태 정부 조사단 단장으로 시리아를 방문하고 있는
외무차관은 시리아측 요청으로 11.4(월) Tlas 시리아 국방 장관과의 만찬을
갖게 됨에 따라 시리아 방문 일정을 부득이 연장케 되었으며 귀지에는 11.5(월)
오전 도착 예정임. (외무차관 귀지 도착 일정은 아국 정부 조사단과의 직접
접촉을 통해 파악하기 바람)

    2. 이와 관련, 귀지 개최 조정회의에는 외무차관 대신 권병현
대사가 아측 수석대표로 참석토록 적의 조치하고 결과 보고 바람. 끝.

                                  (장   관)

예고 : 91.6.30. 일반

검 토 필 (19**90**1231 서명)

예고문에 의거 일반문서로
재분류 19 이 서명

중중아국장 서명

	90년 11월 1일	기안자 성명		과장 신의엽	국장 제1차보관	차관	장관
앙고재	북기과	김금행		서명	서명	출장중	재가서명

보안통제	서명
외신과통제	

	분류번호	보존기간

발 신 전 보

수 신 : 주   미   대사, 초영사   (사본 : 주요르단 대사 경유

WJO-0432 WIT-0982

차관, 주이태리 대사)

발 신 : 장 관   (미북)

제 목 : 로마 조정회의시 면담 주선

　　　1.　로마 조정회의 관련 외무차관은 11.5(월) 오전(도착 시각 및

항공편 미정) 로마에 도착, 11.6(화) 13:30 싱가폴 향발 예정인바, 외무차관의

로마 체재시 Kimmitt 미 국무부 정무차관등 미측 대표와의 면담을 주선하고

결과 보고 바람.

　　　2.　한편, 시리아를 방문하고 있는 외무차관은 시리아측 요청으로

그간 한.시리아 관계 개선에 직접 관여해 온 Tlas 국방장관과(11.4(월)) 만찬을

갖게 됨에 따라 당초 일정을 변경, 11.5(월) 오전 로마에 도착 예정이며, 이에

따라 로마 조정회의에는 권병현 대사가 아측 수석 대표로 참석 예정임을 참고

바람. 끝.

　　　　　　　　　　　　　　　　　　　　　　　　(장 관 - 대 사)

예고 : 91.6.30. 일반

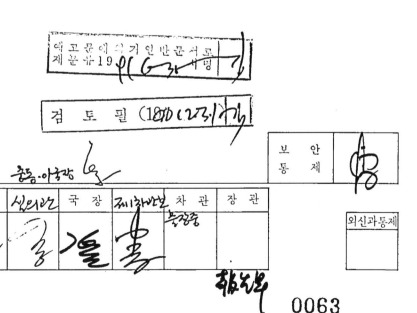

0063

	분류번호	보존기간

발 신 전 보

번 호 : **WJO-0436**   901102 1806 DN   종별 :

수 신 : <u>주 요르단 대사 경유대사 . 총영사</u>   차 관 (사본 주이태리 . 주미대사)   WIT -0987   WUS -3617

발 신 : 장 관   (미북)

제 목 : Kimmitt 차관 면담

연 : WJO - 0432 (WIT-0982 , WUS-2595)

1. 주한 미대사관측은 외무차관의 Kimmitt 미 국무부 정무차관 면담과 관련 Kimmitt 차관의 로마 체제기간이 짧아서 외무차관과의 별도 면담이 어려울 것이라고 말하고 금번 로마 조정위 회의 참석시 만날 수 있는 기회는 있게 될 것으로 본다고 통보해 왔음.

2. 이에 대해 아측은 외무차관이 11.5.오전 늦게 로마에 도착하므로 조정위 회의 참석이 어려울 가능성이 있으므로 가능하면 별도 면담을 주선해 줄 것을 재차 요청한 바, 미 대사관측은 국무부에 재건의하여 보겠다 하였음.

3. 한편 미 대사관측은 로마회의 참석 양측 대표단간에 현지에서 접촉 하여 상기 면담을 주선해 보도록 노력함이 좋을 것이라 하였음을 첨언함. 끝.

(미주국장 반기문)

예고 : 90.12.31.일반

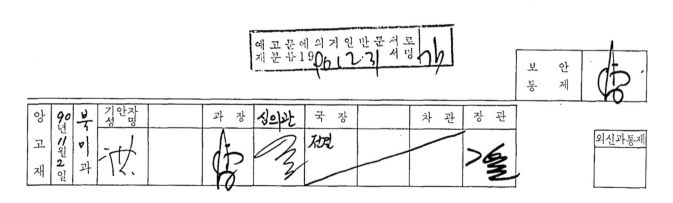

외 무 부

종   별 : 지 급

번   호 : USW-4934   일   시 : 90 1102 1142

수   신 : 장관(미북)

발   신 : 주 미 대사

제   목 : 페만사태 재정지원 공여 현황

연:USW-4879

1. 주재국 재무성은 11.1. 현재까지 90/91 년도 각국별 약속 및
이행금액과지원내역 일람표(연호 8 항 자료의 수정본)를 당관에 송부하여 온바, 이를
별첨 팩스 송부함.

2. 동 자료는 11.5. 로마 조정위시 기초자료로 사용하게 되며, 연호 7 항 보고대로
미측은 로마회의 직후 국별 지원 내역을 언론에 공개코자 하는바, 언론공개시까지 동
자료를 대외 보안 유지 바람.

3. 동자료 한국관련 사항등에 대해 의견있으면 지급 로마로 통보 바람.

첨부:USW(F)-2887(7 매)

(대사 박동진- 국장)

90.12.31. 까지

미주국 중아국 대책반

문 의 : USW(F)-2887
수 신 : 총 리 (미불)
제 목 : 자료송부   (7매)

발신 : 주 미 대 사

UNDER SECRETARY

DEPARTMENT OF THE TREASURY
WASHINGTON

November 1, 1990

Dear Colleague:

The attached tables provide information on commitments and disbursements in our Gulf crisis financing effort, as prepared by the Working Group. These data will provide a basis for part of our discussion on November 5 in Rome.

We think it will be important after this meeting to make public the current status of our group's efforts. You should consider these tables also in this light.

We look forward to your participation, and hope that you will come to the meeting prepared to advance our multilateral financing effort.

Robert M. Kimmitt
Under Secretary of State
(Political Affairs)

David C. Mulford
Under Secretary of the Treasury
(International Affairs)

Attachments

0066

10/31/90

TABLE 1: GULF CRISIS FINANCIAL ASSISTANCE *
1990 COMMITMENTS AND DISBURSEMENTS
(Millions of U.S. Dollars)

	TOTAL Commit.	TOTAL Disb. to Date	TOTAL Disb. to Come	Egypt Commit.	Egypt Disb. to Date	Egypt Disb. to Come	Turkey Commit.	Turkey Disb. to Date	Turkey Disb. to Come	Jordan Commit.	Jordan Disb. to Date	Jordan Disb. to Come	Unallocated 1/ Commit.	Unallocated Disb. to Date	Unallocated Disb. to Come	Other States 2/ Commit.	Other States Disb. to Date	Other States Disb. to Come
GCC STATES	8439	4249	4190	2650	2243	407	550	300	250	0	0	0	2800	67	2733	2439	1639	1639
Saudi Arabia 3/	3913	1896	2017	1675	1283	392	oil	0	0	0	0	0	825	0	825	1413	613	
Kuwait	3263	1603	1650	555	540	15	300	300	0	0	0	0	1645	0	1645	763	763	
	1263	750	513	420	420	0	250	0	250	0	0	0	330	67	263	263	263	
EC	635	103	532	210	16	195	114	2	112	181	17	164	100	68	32	30	0	0
EC Budget	78	78	0	16	16	0	2	2	0	10	10	0	51	51	0	0	0	
Bilateral: 4/	556	24	532	195	0	195	112	0	112	171	7	164	49	17	32	30	0	
Belgium	15	0	15	0	0	0	9	0	9	6	0	6	0	0	0	0		
Denmark	9	4	5	5	0	5	0	0	0	0	0	0	4	4	0	0		
France 5/	130	0	130	50	0	50	30	0	30	20	0	20	0	0	0	30		
Germany	350	7	343	132	0	132	73	0	73	145	7	138	0	0	0	0		
Italy	24	4	20	0	0	0	0	0	0	0	0	0	24	4	20	0		
Luxembourg	1	1	0	0	0	0	0	0	0	0	0	0	1	1	0	0		
Netherlands	22	3	19	0	0	0	0	0	0	0	0	0	15	3	12	0		
U.K.	5	5	0	0	0	0	0	0	0	0	0	0	5	5	0	0		
OTHER EUROPE	31	31		0	0	0	0	0	0	0	0	0	31	31		0		
Sweden	22	22		0	0	0	0	0	0	0	0	0	22	22		0		
Switzerland	9	9		0	0	0	0	0	0	0	0	0	9	9		0		
JAPAN	651	22	629	329	0	329	200	0	200	100	0	100	22	22	0	0	0	
CANADA	33	6	27	0	0	0	0	0	0	0	0	0	33	6	27	0	0	
KOREA	75	0	75	0	0	0	0	0	0	0	0	0	75	0	75	0	0	
(a) TOTAL COMMITMENTS	9864	4411	5454	3189	2259	931	864	302	562	281	17	264	3061	194	2867	2469	1639	
(b) EST. EFFECT OF GULF CRISIS 6/	-	-	-	1125	1125	-	1675	1675	-	1365	1365	-	-	-	-	-	-	
DIFFERENCE (a minus b)	-	-	-	2064	1134	-	-811	-1373	-	-1084	-1348	-	-	-	-	-	-	

* Does not include contributions to the multinational force. Totals may not equal sum of components due to rounding. Based on data submitted to the Coordinating Group. Exchange rates as of New York close on 10/19/90.

1/ Unallocated among Egypt, Jordan, and Turkey or the subject of further discussion. Includes humanitarian assistance. 2/ GCC financing for other states is for Syria, Morocco, Lebanon, Somalia, and Djibouti.

3/ Oil to Turkey to be quantified by Rome meeting. 4/ Other countries will be added as their bilateral disbursements are clarified.

5/ French aid to other states is for Morocco. 6/ IMF/World Bank estimates (oil at $31/barrel) circulated to Group shows for illustrative purposes. Not intended to represent precise figure of impact.

0067

2387-2

1991 COMMITMENTS
(Millions of U.S. Dollars)

11/01/90

	TOTAL	Egypt	Turkey	Jordan	Unallocated 1/
GCC STATES					
Saudi Arabia	0	0	0	0	0
Kuwait	0	0	0	0	0
UAE	0	0	0	0	0
EC	1539	569	0	0	970
EC Budget	682	0	0	0	682
Bilateral 2/	857	569	0	0	288
Belgium	10	10	0	0	0
Denmark	21	15	0	0	6
France	0	0	0	0	0
Germany	533	533	0	0	0
Italy	126	0	0	0	126
Luxembourg	3	0	0	0	3
Netherlands	33	11	0	0	22
Other EC	131	0	0	0	131
OTHER EUROPE					
Sweden	0	0	0	0	0
Switzerland	0	0	0	0	0
JAPAN 3/	1371	90	86	150	1045
CANADA	33	0	0	0	33
KOREA	25	0	0	0	25
(a) TOTAL COMMITMENTS	2968	659	86	150	2073
(b) EST. EFFECT OF GULF CRISIS 4/	-	2250	4235	2930	-
DIFFERENCE (a minus b)	-	-1591	-4149	-2780	-

* Does not include contributions to the multinational force. Totals may not equal sum of components due to rounding.

Based on data submitted to the Coordinating Group. Exchange rates as of New York close on 10/19/90.

1/ Unallocated among Egypt, Jordan, and Turkey or the subject of further discussion. Includes humanitarian assistance.

2/ Other countries will be added as their bilateral disbursements are clarified.

3/ Financing for Jordan currently planned to be disbursed in 1991, but could be disbursed in 1990.

4/ IMF/World Bank estimates (oil at $31/barrel) circulated to Group shown for illustrative purposes. Not intended to represent precise figure of impact.

TABLE 3: GULF CRISIS FINANCIAL ASSISTANCE *
1990–91 COMMITMENTS AND DISBURSEMENTS
(Millions of U.S. Dollars)

TOTAL Commit.	Disb. to Date	Disb. to Come	Egypt Commit.	Disb. to Date	Disb. to Come	Turkey Commit.	Disb. to Date	Disb. to Come	Jordan Commit.	Disb. to Date	Disb. to Come	Unallocated 1/ Commit.	Disb. to Date	Disb. to Come	Other States 2/ Commit.	Disb. to Date	Disb. to Come
8439	4249	4190	2650	2243	407	550	300	250	0	0	0	2800	67	2733	2439	1639	800
3913	1896	2017	1675	1283	392	0	0	0	0	0	0	825	0	825	1413	613	800
3263	1603	1660	555	540	15	300	300	0	0	0	0	1645	0	1645	763	763	0
1263	750	513	420	420	0	250	0	250	0	0	0	330	67	263	263	263	0
2172	103	2070	779	16	763	114	2	112	181	17	164	1069	68	1001	30	0	30
760	78	682	16	16	0	2	2	0	10	10	0	733	51	682	0	0	0
1412	24	1388	763	0	763	112	0	112	171	7	164	336	17	319	30	0	30
25	0	25	10	0	10	9	0	9	6	0	6	0	0	0	0	0	0
30	4	26	20	0	20	0	0	0	0	0	0	10	4	6	0	0	0
130	0	130	50	0	50	30	0	30	20	0	20	0	0	0	30	0	30
883	7	876	665	0	665	73	0	73	145	7	138	0	0	0	0	0	0
150	4	146	0	0	0	0	0	0	0	0	0	150	4	146	0	0	0
4	1	3	0	0	0	0	0	0	0	0	0	4	1	3	0	0	0
55	3	52	18	0	18	0	0	0	0	0	0	37	3	34	0	0	0
5	5	0	0	0	0	0	0	0	0	0	0	5	5	0	0	0	0
130	0	130	0	0	0	0	0	0	0	0	0	130	0	130	0	0	0
31	31	0	0	0	0	0	0	0	0	0	0	31	31	0	0	0	0
22	22	0	0	0	0	0	0	0	0	0	0	22	22	0	0	0	0
9	9	0	0	0	0	0	0	0	0	0	0	9	9	0	0	0	0
2022	22	2000	419	0	419	286	0	286	250	0	250	1067	22	1045	0	0	0
66	6	60	0	0	0	0	0	0	0	0	0	66	6	60	0	0	0
100	0	100	0	0	0	0	0	0	0	0	0	100	0	100	0	0	0
12831	4411	8420	3848	2259	1589	950	302	848	431	17	414	5134	194	4939	2469	1639	830
—	—	—	3375	3375	—	5910	5910	—	4295	4295	—	—	—	—	—	—	—
—	—	—	473	-1116		-4960	-5608		-3864	-4278		—	—	—	—	—	—

* multinational force. Totals may not equal sum of components due to rounding. Based on data submitted to the Coordinating Group. Exchange rates as of New York close on 10/19/90. 2/ GCC financing for other states is for Syria, Morocco, Lebanon, Somalia, and Djibouti.

...and Turkey or the subject of further discussion. Includes humanitarian assistance. 4/ Other countries will be added as their bilateral disbursements are clarified.

...me meeting.

0069

11/01/90

TERMS AND CONDITIONS – 1990/91
(Millions of U.S. Dollars)

	Balance of Payments			Project Financing	Co-Financing	Unspecified	TOTAL
	Grants	In Kind	Loans				
GCC STATES	1500	250	0	1000	0	5689	8439
Saudi Arabia 1/	1500			1000		1413	3913
Kuwait						3263	3263
UAE		250 oil				1013	1263
EC	513	0	13	0	0	1646	2172
EC Budget	78					682	760
Bilateral 2/	435	0	13	0	0	964	1412
Belgium						25	25
Denmark 2/	21					9	30
France						130	130
Germany	414		13			456	883
Italy						150	150
Luxembourg						4	4
Netherlands						55	55
U.K.						5	5
Other EC						130	130
OTHER EUROPE	22	0	0	0	0	9	31
Sweden	22						22
Switzerland						9	9
JAPAN 2/	29		600	176	150	1067	2022
CANADA						66	66
KOREA		60	40				100
TOTAL	2064	310	653	1176	150	8477	12830

* Does not include contribution to multinational force. Totals may not equal sum of components due to rounding.

Based on data submitted to the Coordinating Group. Includes assistance to Egypt, Turkey, and Jordan. Exchange rates as of New York close on 10/19/90.

1/ Project financing for Egypt is on grant basis.

2/ Other countries will be added as their bilateral disbursements are clarified.

3/ Balance of payments loans are 30 years at 1% interest. Project financing is loans, terms not yet specified.

0070

2887-5

ANNEX I

At previous meetings of the Financial Coordination Group and its
Working Committee, several countries were mentioned by different
members as recipients of bilateral assistance. To date, the
Financial Coordination Group has received written notification of
the following contributions:

BILATERAL FINANCING COMMITMENTS TO OTHER COUNTRIES
($ Millions)

Bilateral Contributor	Recipient	Committed	Disbursed
Saudi Arabia	Syria	1050	550
	Morocco	300 (oil)	0
	Lebanon	33	33
	Somalia	23	23
	Djibouti	7	7
	Total	1413	613
Kuwait	Syria	500	500
	Morocco	200	200
	Lebanon	33	33
	Somalia	23	23
	Djibouti	7	7
	Total	763	763
UAE	Syria	200	200
	Lebanon	33	33
	Somalia	23	23
	Djibouti	7	7
	Total	263	263
France	Morocco	30	0
	Total	30	0

TOTAL BILATERAL COMMITMENTS:	2469	1639

10/30/90

0071

ANNEX II

BACKGROUND DATA ON BILATERAL DEBT RELIEF
($ Millions)

Creditor Country	Debtor Country	Amount of Affected Debt	Comment
U.S.A.	Egypt	6,700	Military debt
Kuwait	Egypt	800	
Qatar	Egypt Jordan Syria Tunisia Sudan Mauritania Mali	NA	Intends to forgive all debt to indicated countries.

---

* NOTE: Debt relief is noted here in view of the contribution it
can make to reducing underlying financing gaps, although it does
not directly address the objectives of the Coordination Group.

10/30/90

0072

외 무 부

관리번호 90-2190

종 별 : 지 급

번 호 : USW-4952

일 시 : 90 1102 1829

수 신 : 장관(미북)

발 신 : 주 미 대사

제 목 : 페만 사태 재정지원 공여 현황

연: USW-4934

1. 국무성 한국과 CARTER 경제 담당관은 당관 최 참사관에게 연호 FAX 송부 자료 집계표에 오류가 있다하며, 지급 파기 하여 줄것을 요청하여 왔음. 오류.

수정자료는 로마 회의에서 직접 배포하겠다고 함.

2. 당관에서 탐문한바에 의하면, 사우디, 쿠웨이트등 걸프 국가들이 시정 요구를 하여 왔다 하며, 언론 공개 문제와 관련된것으로 추측됨.

(대사 박동진-국장)

90.12.31 까지

미주국   대책반

PAGE 1

외 무 부

종 별 :

번 호 : ITW-1310

수 신 : 장관(미북)

발 신 : 주 이태리 대사

제 목 : 로마조정회의

일 시 : 90 1102 1750

대:WIT-0981,0982

1. 대호에 따라 주재국 국고성에 권병현대사를 조정회의 수석대표로 수정 통보하였음.

2. 당관은 주요르단 대사관을 통하여 외무차관의 당지 도착일정을 계속 확인중에 있음.

3. 당관은 또한 당지 미국대사관측과 접촉, 아국외무차관의 당지 체류중 KIMMITT 국무부 정무차관과의 면담회망을 전달하였는바, 미대사관측에서도 동 사실을 통보받았다고 하면서 차관의 도착시간을 문의하였음. 끝

(대사 김석규-국장)

예고:90.12.31. 일반

미주국 중아국 대책반

외 무 부

관리
번호 90-2342

종 별 : 지 급
번 호 : USW-4942   일 시 : 90 1102 1715
수 신 : 장관(미북),사본:차관(주이태리대사 경유)-중계필
발 신 : 주 미 대사
제 목 : KIMMITT 차관 면담

대 WUS-3617

1. 대호 로마 조정회의 기간중 KIMMITT 차관과의 별도 면담 추진 관련 당관 유명환 참사관은 11.2 KIMMITT 차관의 특별 보좌관인 KARTMAN 을 면담, 금번 아국 외무 차관과의 전선국가 순방은 중동 사태 관련 한. 미 협조를 뒷받침하기 위한것임을 지적하고, KIMMITT 차관의 로마 체제 일정이 분주한것은 알지만, 가급적 별도 면담이 주선되도록 재차 촉구함.

2. 이에 대해 동 보좌관은 아측의 희망을 KIMMITT 차관에게 거듭 전달하고 또한 실무선에서도 최대한 노력 하겠으나 사정이 무척 어려운 실정이라고 말함.

(대사 박동진-국장)

90.12.31 일반

미주국

PAGE 1   90.11.03   08:19
                                                    외신 2과 통제관 DO
                                                       0075

| 次官님, Kimmitt 美 國務部 政務次官 面談資料 |

1990. 11.(5)

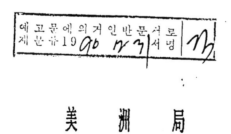

美 洲 局

0076

目　次

0077

Ⅰ. 人事 말씀

ㅇ 처음 만나게 되어 반가움.

ㅇ 금번 페灣 事態 財政 支援 供與國 調整委 會議의 共同 議長으로 수고하고
계심을 치하

Ⅱ. 韓半島 및 周邊情勢

1. 南.北 對話

(第2次 南北 高位級 會談)

ㅇ 第2次 南北 總理會談이 10.16-19間 平壤에서 開催

ㅇ 成 果
   - 금번 會談에서 具體的인 合意에는 이르지 못하였으나, 몇가지
     成果를 거둠.
   - 兩側이 "基本 合意書" 採擇의 必要性에 認識 合致.
   - 我側 總理의 金日成 面談을 통해 頂上會談의 必要性 確認
   - 3次 會談의 12.11-14間 開催에 合意함으로써 高位級 會談을
     繼續하기로 함.

0078

ㅇ 展望

　- 次期 會談에서는 今番 會談에서 一部 意見이 접근된 南北
　　關係에 관한 基本 原則等에 대하여 具體的 合意 可能性.

　- 高位級 會談의 進展에 따라 南北 頂上 會談의 開催 可能性
　　增大 豫想

2. |韓.蘇 關係|

ㅇ 韓.蘇 兩國은 9.30.자로 修交

ㅇ 第2次 韓.蘇 政府代表團 會談이 12月 서울에서 開催, 兩國間 經協
　問題 協議 豫定

ㅇ 韓.蘇 關係 增進은 韓半島의 緊張 緩和와 平和定着에 도움이 되는
　方向으로 推進하고, 兩國 頂上의 交換 訪問도 推進할 豫定.
　다만, 이 過程에서 美.日等 旣存 友邦國과 緊密한 協議를 갖도록
　할 것임.

0079

3. ┌─────────────┐
    │ 韓.中 關係 │
    └─────────────┘

0 韓.中 兩國은 10.20. 領事 機能을 가진 貿易 代表部를 相互 設置키로 合意. 이는 修交 前段階로서 實質的인 公式 關係의 始作

0 韓.中間 實質 交流의 擴大 및 最近 韓半島 周邊情勢의 變化와 함께 今番 貿易代表部 交換 開設은 韓.中 關係 正常化를 促進시킬 것으로 期待
   - 89年 往復 貿易額 31.4億弗, 人的 交流 23,000名

0080

5. 美.北韓 關係

o 北京에서의 美.北韓 接觸이 韓.美 兩國間 緊密한 事前 協議下에
   推進되고 있는데 滿足 表明

o 我國은 美國이 對北韓 關係 改善과 關聯, 南.北韓 關係를 繼續 考慮
   하면서 推進하기를 希望

o 對北韓 公式 關係 樹立을 위해서는 北韓의 核安全措置 協定 締結은
   물론, 北韓의 對南 武力 赤化統一 路線의 명시적 抛棄, 南.北韓 平和
   共存 原則 認定等이 先行 必要

0081

Ⅲ. 韓.美 兩者 關係

1. 부쉬 大統領 訪韓 招請

ㅇ 내년 봄 부쉬 大統領의 訪韓이 實現될 수 있도록 積極 協調를 當付
   ＊ 91.2월경 부쉬 大統領 日本 訪問 豫定

2. 韓.美 安保協力

ㅇ 最近 韓半島 周邊 情勢가 變化 움직임을 보이고 있는바, 旣存의 韓.美
   安保協力 關係는 繼續 重要

ㅇ 駐韓 美軍의 役割 調整과 段階的 減縮은 韓.美 聯合防衛力이 沮害되지
   않는 範圍內에서, 韓半島와 周邊情勢를 考慮, 相互 緊密한 協議下에
   推進 必要

ㅇ 第2次 「넌-워너 報告書」作成時 (11月末) 兩國間 충분히 事前 協議,
   同 結果 反映 期待

0082

3. 我國의 유연 加入 問題

o 부쉬 大統領이 유연總會 基調 演說時 我國 立場을 全幅的으로 支持해
  준데 대해 感謝 表示

o 北側은 我側의 南.北韓 유연 同時 加入 提案을 拒否하고, 非合理的인
  態度를 堅持하고 있는바, 我側의 유연加入을 沮止 또는 遲延시키려는
  北側의 意圖는 明白함. 앞으로도 당분간 北韓의 態度 變化를 위해
  努力할 것이나 我側의 對北韓 說得 努力은 無限定일 수 없음.

o 美國이 UN 安保理 議長國으로서(11월중) 中國에 대한 影響力을
  行使하여 我國의 早速한 유연加入을 實現키 위한 雰圍氣를 造成해
  주는등 持續的인 支援과 協調를 當付

4. 韓.美 經濟 通商 關係

o 韓.美 通商 關係
  - 美國側은 我國이 市場開放에 逆行하고 있다는 憂慮를 表示하고
    있으나, 我國은 最近의 國際 收支 惡化等 經濟的 어려움에도 不拘하고
    持續的인 市場 開放政策을 推進中

0083

- 近間 兩國間 貿易 不均衡이 大幅 改善되고 있는바, 今年 1-9月間 對美 貿易 黑字는 20億弗로 前年 同期對比 43% 減少

- 奢侈性 消費財 問題는 民間 次元의 自發的 運動이며, 關稅 引下 計劃의 1년 延期, 포도주 稅金 引上, 담배 問題 등은 實務 專門家間 協議를 통하여 相互 理解를 增進시킴으로써 解決할 수 있을 것임.

○ UR 協商

- 我國은 UR 協商의 成功的 妥結을 위해 開途國과 先進國의 中間的 立場에서 積極 努力中

- 다만, 農産物 交易 自由化는 政治.社會的 敏感性等 我國의 어려운 事情이 協商結果에 適切히 反映되도록 美國의 積極的 協調를 要望

5. ⏐亞.太 閣僚會議⏐

○ 我國은 亞.太 協力이 經濟協力뿐 아니라, 長期的으로 亞.太地域 全體의 安定과 共同繁榮을 圖謀하는 包括的인 協力體制로 發展되길 希望

0084

ㅇ 내년 APEC 閣僚會議는 10月에 서울에서 開催 豫定인 바, 我國은 次期

閣僚會議 議長國으로서 APEC이 健實한 亞.太 協力의 틀로서 發展할

수 있도록 關係國과 緊密한 協議를 通하여 最善 努力 豫定

IV. 맺음말씀

ㅇ 急變하는 國際情勢속에 韓.美間 緊密한 協調 當付

일반문서로 ○ 분류 (1980.12.31)

0085

외 무 부

종 별 : 지 급

번 호 : ITW-1312

일 시 : 90 1105 1145

수 신 : 장관(미북)

발 신 : 주 이태리 대사

제 목 : 차관일정 변경

대:WIT-0981,0989

대호, 시리아 방문중인 정부조사단과 접촉결과 외무차관의 당지 방문은 취소되었음. 끝

(대사 김석규-국장)

예고:90.12.31. 일반

미주국

90.11.05   20:07

외신 2과 통제관 CF

0086

```
관리
번호  10-2352
```

외 무 부

종 별 : 지 급

번 호 : ITW-1314   일 시 : 90 1105 1705

수 신 : 장관(미북) (사본: 구미대양 장)

발 신 : 주 이태리 대사(대책반장)

제 목 : 페만 공여국 제 3차 회의

　　　페만 재정 원조공여국 제3차 조정위 로마회의는 예정대로 11.5(월) 10:30-13:30간 이태리 국고성 회의실에서 25 개국 및 4 개 국제기구 대표 참석하에 SARCINELLI 이태리 국고성 국고총국장과 MULFORD 미 재무부 차관 공동주재로 개최되었음. 아측은 권병현대사, 이용성실장, 최영진참사관, 허철사무관, 김경석서기관이 참석한 바 요지 하기 보고함.

　　　1. 개회 벽두 KIMMITT 차관은 UN 에서 10 개 결의안을 봉과시켜 이라크에 강한 정치적 멧시지를 전달하고 있으며, 경제제재도 효과를 보기 시작하여 이라크는 원유수출 금지로 150 억불 손실을 보고 있고 수입량도 10 퍼선트 이하로 줄어 들었고 이라크 군이 어려움을 느끼기 시작하고 있다고 함. 3 천여척의 선박이 봉쇄 대상이 되었으며 그중 315 척을 승선 수색하였다 함. 미국으로서는 정치적, 평화적 해결을 희망하나, 불가피한 경우 무력 사용의 선택을 계속 생각하고 있다고 말함.

　　　전선 3 개국의 협조와 관련, 이들의 손실보전 필요성을 설명한 후 요르단의 경제 제재 참여도가 만족할 정도까지 높아졌고 전선국가 외에 시리아, 모로코의 중요한 협조 및 동구국가들의 경제적 곤경에 대해서도 언급함.

　　　동 차관은 금번 회의의 목적이 100 억여불의 막대한 금액을 동원, 이라크의 쿠웨이트 점령을 용인하지 않겠다는 국제적 단결력을 이라크에 과시하는데 있다고 규정함.

　　　(이어 IMF/IBRD 의 전선 3 개국 경제상황및 피해액에 관한 설명이 있었던 바, 내용은 실무위 4 차 회의시 설명내용과 동일함.)

　　　2. 쿠웨이트 재무장관은 발언권을 신청, 회의 참석국들에게 곤경에 처한 쿠웨이트를 돕고 사담후세인의 무력점령을 격퇴하기 위하여 원조와 협조를 아끼지 않고 있는데 대해 쿠웨이트 정부와 국민의 감사를 전함.

미주국　　차관　　1차보　　2차보　　　청와대　　안기부　　　대책반

3. MULFORD 차관은 약속/이행 금액에 대한 각국대표의 발언을 요청한 바, 특히 90 년도 조기 이행, 원조약속액이 피해액에 비해 크게 부족한 요르단에 대한 원조증가, 91 년도 추가 약속등 3 개 항목에 대해 집중해 줄것을 요청함.

4. 각국대표의 자국 약속/이행 금액에 대한 설명이 있었는바 내역도표는 대표단이 지참함. 아국관련, 권대사는 90 년도 조기이행을 위하여 현재 외무차관을 단장으로 한 고위 사절단이 전선국가를 방문중이며 7 천 5 백만불중 이집트에약 2 천 3 백만불, 터키에 2 천만불, 요르단에 1 천 5 백만불을 우선 제공예정이며, 91 년에 2 천 5 백만불이 계상되어 있고, 총액 1 억불중 4 천만불이 장기저리차관, 6 천만불이 현물 증여가 될 것임을 설명하고 한국은 금번 전선국가에 대한 재정원조에 참여함에 있어서 한국전쟁 당시 UN 기치하에 16 개국이 한국에 귀중한 원조를 제공한 사실을 기억하고 있다고 언급함.

5. 상기 각국 설명중 GCC, 사우디등이 시리아가 반 이라크 전선에 적극 참여하고 있음을 지적하며 시리아에 대한 원조의 중요성을 강조함.

6. MULFORD 차관은 원조 집계 언론공개와 관련, 상세 내역은 계속 대외비로하고 원조총액 128 억불 (걸프국가 84 억, EC 22 억, 일본 20 억, 기타 2 억)과 90 년 91 억불, 91 년 37 억불, 이집트, 터키, 요르단에 52 억불, 배정 미정액 52 억불, 기타 국가 24 억불의 3 개 도표만 발표할 것을 제의, 적기에 발표토록 합의함.

7. MULFORD 차관은 이집트에 대한 부채 탕감과 관련 미국은 여타국과 함께 부채를 탕감코자 한다고 하며, PARIS CLUB 과 협조, 대 이집트 부채탕감에 대한 별도 회의를 갖자고 한 바, EC 및 일본이 부채 탕감원칙을 약속하는데 대해 강한 유보를 표명하면서, 금번 회의는 재정원조 공여에 국한하여야 하며 군사원조 탕감문제까지 협의하는데 반대함. 이에 따라 미측은 추후 적절한 FORUM 을 통학 이 문제를 의논키로 함. 끝

(대사-국장)

예고:90.12.31. 일반

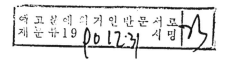

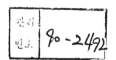

報 告 畢

1990.11.9

對策班長
권 병 현

報 告 事 項

題 目 : 페르시아灣 事態 財政 支援 供與國 第3次 調整會議

- ˚ 日　　時 : 90.11.5(月) 10:30-13:30
- ˚ 場　　所 : 이태리 國庫省 會議室
- ˚ 參 加 國 : 25個國 및 4個 國際機構
- ˚ 我國 參加者 : 권병현 對策班長

　　　　　　　　　 이용성 財務部 企劃管理室長

　　　　　　　　　 최영진 駐美 參事官 外 2名

1. 主要 協議 內容

　가. Kimmitt 美 國務次官 發言 要旨 :

　　˚ 이라크는 經濟 制裁 措置로 150億弗의 損失을 입고 貿易量도 10%이하
　　　水準으로 激減, 이라크軍이 어려움을 느끼기 始作

　　˚ 美國은 政治的.平和的 解決을 希望하나, 不可避한 境遇 武力使用의
　　　option을 생각함.

　나. Mulford 美 財務次官 發言中 特記事項

　　˚ 今番 會議 目的은 25個國에서 100億여弗의 막대한 金額을 動員,
　　　이라크의 쿠웨이트 占領을 容認치 않겠다는 國際的 團結力을 이라크에
　　　誇示하는데 있음.

　　˚ 總 援助額 128億弗의 供與國 및 配定額 內譯은 適期에 對外 發表

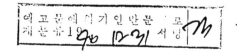

0089

다. 我國代表 發言 要旨

 ○ 我國 約束의 早期 履行을 위해 高位 使節團이 前線國家를 訪問中이며,
   이집트, 터키, 요르단에 대한 配定額 및 借款과 現物 比率을 發表

 ○ 我國의 今番 援助 參與 背景으로 韓國戰 당시 UN 旗幟下 16個國의
   귀중한 援助를 想起함.

2. 特記事項

 가. 美國의 武力使用 可能性

 ○ 美國의 武力使用 option에 대한 語調가 第2次 調整會議時(90.10.12)
   보다 强化된 것으로 감지됨. 앞으로 短期間 內에 經濟的 制裁의 效果가
   不充分할 境遇, 蘇.中 等의 協調를 얻어 UN의 軍事的 制裁 決議를
   採擇할 것으로 보이며, 그럼에도 不拘하고 이라크가 撤收치 않으면 適切한
   武力 使用이 不可避할 것으로 觀測됨

 나. 我國에 대한 追加 供與 要請 可能性

 ○ 第3次 調整會議 期間中 我國에 대한 追加 支援 要請은 一切 없었음.

 ○ 다만 앞으로 武力 行使로 인해 방대한 追加 軍事費 支出이 있을 境遇
   美國에 의한 追加 要請 可能性 있음.

 다. Kimmitt 美 國務次官 面談

 ○ 권大使는 會議 開催前 Kimmitt 次官에게 Baker-Mubarak 面談時 이집트에
   韓國과의 修交 勸誘를 要望한 바, 同 次官은 기꺼이 建議할 것을 約束하고
   記錄으로 memo함.

 * 터키 訪問(90.11.5-7)

 ○ 터키 政府는 我國 使節團 訪問과 援助 提供 提議를 歡迎하고 韓國
   戰爭時에 맺은 友誼가 今番에 더욱 공고화 되었다고 表明

 ○ 5百万弗 現物 援助는 兩國 赤十字 間에 推進토록 具體的인 品目을
   提示해 왔으며, EDCF 1,500万弗은 檢討後 通報해 주겠다 함. 끝.

 90.12.7.

0090

Roma, 5 novembre 1990

GRECIA

1

Mr George PROVOPOULOS
Director General
Ministry of National Economy
ATHENS
Fax n. 00301/3230801

———————————————

SPAGNA

2

Mr Manuel CONTHE GUTIERREZ
Director General
Ministry of the Treasury
MADRID
Fax n. 00341/5220619

———————————————

PORTOGALLO

3

Mr Carlos TAVARES
Secretary of State
Ministry of Finance
LISBON
Fax n. 003511/875408

Manuel
Mr./FRANCA E SILVA - Director General of The Treasury

———————————————

FRANCIA

4

M. Jean Claude TRICHET X
Directeur du Tresor
PARIS
Fax n. 00331/43457970

- 1 -

0091

INGHILTERRA

Mr Nigel WICKS
Second Permanent Secretary
H.M. Treasury
LONDON
Fax n. 004471/8392082-2705653

5

1) Mr Nigel WICKS
2) Mr P. John WESTON - Deputy Under Secretary of State Foreign and Commonwealth Office
3) Mr Kim DARROCH - Rappresentante dell'Amb. Inglese a Roma -

---

GERMANIA

Mr Horst KOEHLER
State Secretary
Bundesministerium der Finanzen
BONN
Fax n. 0049228/6824420-6824466

6

1) Dr Eckard PIESKE - Head of Subdepartment of Ministry of Finance
2) Dr Ulrich JUNKER - Division Chief - Foreign Off.
3) Dr Barbara KAUFFMANN Official, Ministry of Finance

BELGIO

Mr Jan VANORMELINGEN
Inspector General
Ministry of Finance
BRUSSELS
Fax n. 00322/2337114

7

1) Mr Jan VANORMELINGEN
2) Mrs DEL MARMOL - Belgian Embassy

CEE

Mr Giovanni RAVASIO
Director General
Economic and Financial Affairs
European Commission
BRUSSELS
Fax n. 00322/2358981

8

LUSSEMBURGO

Mr Yves MERSCH
Director General
Ministry of the Treasury
LUXEMBOURG
Fax n. 00352/475241

9

~~Mr Gaston REINESCH - Government Commissione~~
FOREIGN AFFAIRS
1) Mr Pierre Luis LORENZ - Deputy Director of Political Affairs
2) Mr Gaston REINESCH - Commissaire du Gouvernement - Treasu
3) Mr Nicholas MOSER - Ambasciatore a Ro

- 2 -

0092

SVIZZERA

10

Mr Ulrich GYGI
Director
Federal Finance Administration
Federal Department of Finance
CH-3003 BERNE
Fax n. 004131/616187

1) Mr Ulrich GYGI
2) Mr D. KAESER - Head of The Treasury Division.
3) Mr P. FIVAT - Deputy Chief of Financial
   and Economic Affairs -
4) MR A. RITZ - Counsellor of Economic
   Affairs - Swiss Embassy -
5) Mr W. KELLER - Desk Officer - Interna-
   Tional Development
   Financing Institutions

AUSTRIA

11

Mr Othmar HAUSHOFER
Director General
Ministry of Finance
VIENNA
Fax n. 00431/5127869

DANIMARCA

12

Mr Jens THOMSEN
Permanent Secretary
Ministry of Finance
COPENHAGEN
Fax n. 0045/33936020

Mr Henrik FUGMANN
FOREIGN AFFAIRS
Mr Finn JOMCK

PAESI BASSI

13

Mr Cees MAAS
Treasurer General
Ministry of Finance
THE HAGUE
Fax n. 0031703/427908

1) Mr Cees MAAS
2) Mr P. POOLE - Ministry of Foreign
   Affairs -

- 3 -

0093

IRLANDA

Mr Michael SOMERS
Director General
Department of Finance
DUBLIN
Fax n. 003531/789936

14

NORVEGIA

Mr Trond REINERTSEN
State Secretary
Ministry of Finance
OSLO 1
Fax n. 0047/2349505

15

Non partecipano
from Ministrere
Rome

SVEZIA

Mr Gunnar LUND
Under Secretary of State
Finance Department
STOCKOLM
Fax n. 00468/243905

16

1) Mr Gunnar LUND
2) Mr Peter OSVALD - Under Secretary for Political Affairs
3) Mr Jörgen HOLHQVIST - Financial Cousell Swedish Ambassy in Washington

FINLANDIA

Mr Johani KIVELA
Under Secretary
Ministry of Finance
HELSINKI
Fax n. 003580/1603190

17

Mr Osmo LIPPONEN - Office Director

ISLANDA

Mr Magnus PETURSSON
Secretary General
Ministry of Finance
REYKJAVIK
Fax n. 00354/128280

18

NON PARTECIPANO

- 4 -

0094

Under Secretary David MULFORD
Assistant Secretary Charles DALLARA
Office Director Asia and Near East Todd CRAWFORD
International Economist Joseph EICHENBERGER
U.S. Executive Director at IMF Thomas DAWSON

State Department

Under Secretary for Political Affairs Robert KIMMITT
EB Assistant Secretary Eugene J. MCCALLISTER
NEA/RA Office of Director Allen KEISWETTER
P Special Assistant Alex WOLFF
EB/PAS Office Director Ms. Sandra O'LEARY

STATI UNITI

19.

Mr David MULFORD
Under Secretary
Department of Treasury
WASHINGTON
Fax n. 001202/7868449

WORLD BANK

20

Mr Moeen QURESHI
Senior Vice President
World Bank
WASHINGTON
Fax n. 001202/4778451-4778164

IMF

21

Mr Richard ERB
Deputy Managing Director
International Monetary Fund
WASHINGTON
Fax n. 001202/6234661

Mr Jack BOORMAN - Director - Exchange and Trade Relations Department

CANADA

22

Mr David DODGE
Associate Deputy Minister
Ministry of Treasury
OTTAWA
Fax n. 001613/9529569-9927347

Mr David DODGE - Associate Deputy Minister

GIAPPONE

23

Mr Makoto UTSUMI
Vice Minister of Finance
Ministry of Finance
TOKYO
Fax n. 00813/5812717

1) Mr Makoto UTSUMI
2) Mr Hisashi OWADA - Deputy Minister for Foreign Affairs
3) Mr Yoshiaki KANEKO - Minister (Financial) Embassy of Japan in U.S.
4) Mr TAMAKI - Vice Direttore Min. Tinanze
5) Mr SADO - Vice Direttore Min. Affari Esteri

- 5 -

0095

AUSTRALIA

Mr C.I. HIGGINS
Secretary to the Treasury
Parkes Place
CAMBERRA
Fax n. 006162/732614

24.

NUOVA ZELANDA

Mr Graeme C. SCOTT
Secretary to the Treasury
Ministry of the Treasury
WELLINGTON
Fax n. 00644/730982-723512

25

COREA

Mr Yung-Euy CHUNG
Minister of Finance
Government Building II
SEOUL
Fax n. 00822/5039324

26

1) Mr Kwon Byong Hyan- Capo delegazione
(Ministero Affari Esteri)
2) Mr Young-Sung LEE - Assistant Minister
3) Mr Choi Young Jim - Conseller Chorean Embassy
in Washington
4) Mr Huh Chul - Assistant Director Division of
North-American Affairs

AUTO { Mercedes CD 0516M
        Volvo   CD 0634M
        Volkswagen CD 0658GM

ARABIA SAUDITA

Mr Abdullah EL-KUWAIZ
Associate Secretary General
for Economic Affair
Gulf Cooperation Council
RIYADH
Fax n. 009661/4826514

27

1) Mr Abdullah EL-KUWAIZ
2) Mr Abdul Rahman AL-TUWAIJRI - Economic
Adviser at th
GCC Secretariat
3) Mr Jubanah AL-SURAISRY - Assistant Deputy
Minister of
+? Jedere fax PASCOE   Finance

- 6 -

0096

KUWAIT

H.E. Ahmad G. ABDULLAH
Ambasciatore del Kuwait
Via Archimede, 124/126
ROMA
(inviata tramite autista)

28

Vedere Fax PASCOE

EMIRATI ARABI UNITI

Mr Mohammed Saied AL JARRAH
Counsellor
Embassy of the United Arab Emirates
Via S. Crescenziano, 25
ROMA
(inviata tramite autista)

29

1) Nasser AL-NOWAIS - Under Secretary
Ministry of Finance
2) Mohammed AL-JARRAH - Director
Foreign Investment Department

QATAR

Amb. Giovanni FERRERO
Ambasciata d'Italia
Abu Dhabi
Fax n. 00971-2349337

30

not Loop

Abdullah AL-??NA??S

- 7 -

0097

"Gulf Crisis Financial Coordination Group"

Sala della Maggioranza

6.11.1990 ore 10,30

SWITZERLAND - Mr Ulrich GYGI

           Mr D. KAESER

           Mr R. LAUTENBERG

           Mr A. RITZ

           Mr W. KELLER

AUSTRIA - Mr Walter HAGG

       Ms Elisabeth KRAMER

SWEDEN - Mr Gunnar LUND

        Mr Peter OSVALD

        Mr Jörgen HOLMQVIST

        Mr Magnus LENNARTSSON

FINLAND - Mr Jaakko BLOMBERG

       Mr Eero SUOMINEN

UNITED STATES - Mr David MULFORD   Mr Robert KIMMIT

           Mr Charles DALLARA   Mr Eugene J. MCCALLISTER

           Mr Todd CRAWFORD   Mr Allen KEISWETTER

           Mr Joseph EICHENBERGER   Mr Alex WOLFF

           Mr Thomas DAWSON   Ms Sandra O'LEARY

                                        Mr Pat PASCOE

0098

WORLD BANK — Mr David BOCK

Mr Enzo GRILLI

IMF — Mr Jack BOORMAN

CANADA — Mr David DODGE

Mr Jeremy K. B. KINSMAN

Mr Ferry DE KERCKHOVE

JAPAN — Mr Makoto UTSUMI

Mr Hisashi OWADA

Mr Yoshiaki KANEKO

NEW ZEALAND —

KOREA — Mr Byong Hyon KWON

Mr Yong-Sung LEE

Mr Young Jin CHOI

Mr Chul HUH

GULF COOPERATION — Mr Abdullah EL-KUWAIZ
COUNCIL   Mr Abdul Rahman AL-TUWAIJIRI

SAUDI ARABIA — S.E. Amb. Khaled N. AL-TORKI

Mr Jubarah AL-SURAISRY

Mr Mohammed AL-JASER

Mr Abdulaziz AL-GHADEER

0099

KUWAIT - Hon. Ali-Alkhalifa AL-SABAH

       Mr S.N. AL-SHAHEEN

UNITED ARAB EMIRATES - Mr Nasser AL-NOWAIS

            Mr Mohammed AL-JARRAH

            Hon. Abdullah AL-NAHAYAN

            Mr Mohammed KHARBASH

QATAR - Mr Saqr AL MURAIKHI

UNITED KINGDOM - Mr Nigel WICKS

       Mr P. John WESTON

       Mr Kim DARROCH

BELGIUM - Mr Jan VANORMELINGEN

     Mrs Del MARMOL

DENMARK - Mr Henrik FUGMANN

     Mr Finn JONCK

GERMANY - Mr Eckard PIESKE

     Mr Heinz FIEDLER

     Mr Ulrick JUNKER

     Ms Barbara KAUFFMANN

GREECE - Mr ELIANOS

     Mr Vassilis KANELLAKIS

SPAIN - Mr Javier FERNANDEZ

     Mr Pablo BENAVIDES

0100

FRANCE - M. Jean-Claude TRICHET

        M.lle Pascale BERACHA

IRELAND - Ambassador C.P. FOGARTY

        Mr Michael SOMERS

LUXEMBOURG - Mr Pierre Luis LORENZ

        Mr Gaston REINESCH

        Mr Nicholas MOSER

NETHERLANDS - Mr Cees MAAS

        Mr Peter LE POOLE

        Mr Wim KLUFT

PORTUGAL - Mr Manuel FRANCA E SILVA

        Mr JOrge COIMBRA MARTINS

EEC - Mr Giovanni RAVASIO

ITALY - Mr Mario SARCINELLI

        Amb. Enzo PERLOT

        Amb. Raniero VANNI D'ARCHIRAFI

        Min. Gaetano ZUCCONI

        Mr Augusto ZODDA

        Mr Renato FILOSA

0101

ANNEX I

At previous meetings of the Financial Coordination Group and its
Working Committee, several countries were mentioned by different
members as recipients of bilateral assistance. To date, the
Financial Coordination Group has received written notification of
the following contributions:

BILATERAL FINANCING COMMITMENTS TO OTHER COUNTRIES
($ Millions)

Bilateral Contributor	Recipient	Committed	Disbursed
Saudi Arabia	Syria	1050	550
	Morocco	300 (oil)	0
	Lebanon	33	33
	Somalia	23	23
	Djibouti	7	7
	Total	1413	613
Kuwait	Syria	500	500
	Morocco	200	200
	Lebanon	33	33
	Somalia	23	23
	Djibouti	7	7
	Total	763	763
UAE	Syria	200	200
	Lebanon	33	33
	Somalia	23	23
	Djibouti	7	7
	Total	263	263
France	Morocco	30	0
ITALY	Somalia	9	
	Total	30	0

TOTAL BILATERAL COMMITMENTS:		24 78	1639

10/30/90

ANNEX II

BACKGROUND DATA ON BILATERAL DEBT RELIEF
($ Millions)

Creditor Country	Debtor Country	Amount of Affected Debt	Comment
U.S.A.	Egypt	6,700	Military debt
Kuwait	Egypt	800	
Qatar	Egypt Jordan Syria Tunisia Sudan Mauritania Mali	NA	Intends to forgive all debt to indicated countries.

---

* NOTE: Debt relief is noted here in view of the contribution it can make to reducing underlying financing gaps, although it does not directly address the objectives of the Coordination Group.

10/30/90

TABLE 1: GULF CRISIS FINANCIAL ASSISTANCE *
1990 COMMITMENTS AND DISBURSEMENTS
(Millions of U.S. Dollars)

10/31/90

	TOTAL Commit.	Disb. to Date	Disb. to Come	Egypt Commit.	Disb. to Date	Disb. to Come	Turkey Commit.	Disb. to Date	Disb. to Come	Jordan Commit.	Disb. to Date	Disb. to Come	Unallocated 1/ Commit.	Disb. to Date	Disb. to Come	Oth Commit. other
GCC STATES	8439	4249	4190	2650	2243	407	550	-300	250	0	0	0	2800	67	2733	2439
Saudi Arabia	3263	1603	1660	655	540	15	300	300	0	0	0	0	1645	0	1645	763
Kuwait																
UAE																
EC	835	103	532	220	18	204	114	2	112	195	21	174	76	64	12	30
bilateral 4/	656	24	532	204		204	112	0	112	185	11	174	25	13	12	30
Denmark	9	4	5	5	0	5	0	0	0	0	0	0	0	0	0	0
France 5/																
Germany	350	7	343	132	0	132	73	0	73	145	7	138	0	0	0	0
Luxembourg	1	1	0				0	0	0	0	0	0	1	1	0	0
Netherlands																
U.K.	3		3	0		0	0	0	0	0	0	0	3	3	0	0
OTHER EUROPE																
Sweden	22	22	0	0	0	0	0	0	0	0	0	0	22	22	0	0
Switzerland																
JAPAN	651	22	629	329	0	329	200	0	200	100	0	100	22	22	0	0
KOREA	75	0	75	0	0	0	0	0	0	0	0	0	75	0	75	0
(a) TOTAL COMMITMENTS	9884	4411	5454	3199	2259	931	804	302	562	295	21	274	3037	190	2847	2469
(b) EST. EFFECT OF GULF CRISIS 6/	-	-	-	1125	1125	-	1675	1676	-	1365	1365	-	-	-	-	-
DIFFERENCE (a minus b)	-	-	-	2074	1134	-	-811	-1373	-	-1070	-1374	-	-	-	-	-

* Does not include contributions to the multinational force. Totals may not equal sum of components due to rounding. Based on data submitted to the Coordinating Group. Exchange rates as of New York close on 10/19/90.

1/ Unallocated among Egypt, Jordan, and Turkey or the subject of further discussion. Includes humanitarian assistance. 2/ GCC financing for other states is for Syria, Morocco, Lebanon, Somalia, and Djibouti.

3/ Oil to Turkey to be quantified by Rome meeting. 4/ Other countries will be added as their bilateral disbursements are clarified.

5/ French aid to other states is for Morocco. 6/ IMF/World Bank estimate (oil at $31/barrel) circulated to Group shown for illustrative purposes. Not intended to represent precise figure of impact.

0104

TABLE 2: GULF CRISIS FINANCIAL ASSISTANCE *
1991 COMMITMENTS
(Millions of U.S. Dollars)

	TOTAL	Egypt	Turkey	Jordan	Unallocated 1/
GCC STATES	0	0	0	0	0
Saudi Arabia					
Kuwait					
UAE					
EC	1489	633	48	12	796
EC Budget	682				682
	807	633			
Belgium	10	10			0
Denmark					
France	0	0	0	0	0
Germany				12	9
Italy	13	64			22
Luxembourg	9	11			
Netherlands					
OTHER EC	83				74
OTHER EUROPE	0	0	0	0	0
Sweden	0	0	0	0	0
Switzerland					
JAPAN					
KOREA					
CANADA	33	0	0	0	33
(a) TOTAL COMMITMENTS	2918	723	134	162	189.9
(b) EST. EFFECT OF GULF CRISIS 4/	--	2250	4235	2930	--
DIFFERENCE (a minus b)	--	-1527	-4101	-2768	--

* Does not include contributions to the multinational force. Totals may not equal sum of components due to rounding.

Based on data submitted to the Coordinating Group. Exchange rates as of New York close on 10/19/90.

1/ Unallocated among Egypt, Jordan, and Turkey or the subject of further discussion. Includes humanitarian assistance.

2/ Other countries will be added as their bilateral disbursements are clarified.

3/ Financing for Jordan currently planned to be disbursed in 1991, but could be disbursed in 1990.

4/ IMF/World Bank estimates (oil at $31/barrel) circulated to Group shown for illustrative purposes. Not intended to represent precise figure of impact.

0105

TABLE 3: GULF CRISIS FINANCIAL ASSISTANCE *
1990-91 COMMITMENTS AND DISBURSEMENTS
(Millions of U.S. Dollars)

10/31/90

	TOTAL Commit.	Disb. to Date	Disb. to Come	Egypt Commit.	Disb. to Date	Disb. to Come	Turkey Commit.	Disb. to Date	Disb. to Come	Jordan Commit.	Disb. to Date	Disb. to Come	Unallocated 1/ Commit.	Disb. to Date	Disb. to Come	Oth Commit. other c
GCC STATES	8439	4249	4190	2860	2243	407	550	300	250	0	0	0	2800	67	2733	2439
Saudi Arabia	3253	1803	1660	655	540	15	300	300	0	0	0	0	1845	0	1645	763
Kuwait																
UAE																
EC	2124	103	2021	853	18	837	162	2	160	207	21	186	862	64	798	39
Bilateral 4/	1364	24	1339	837	0	837			169	197	11	186	129	13	116	39
Denmark	30	4	26	20	0	20				0	0	0	10	4	0	0
Germany	183	7	876	665	0	665	73	0	73	145	7	138	0	0	0	0
Luxembourg	4	1	3	0	0	0				0	0	0	4	1	3	0
U.K.										0	0	0				0
OTHER EUROPE	31	31	0	0	0	0	0	0	0	0	0	0	31	31	0	0
Sweden																
Switzerland				0												
JAPAN				0	0	0	0	0	0	0	0	0				0
DA	66	6	60	0			0			0			66	6	60	0
KOREA																
(a) TOTAL COMMITMENTS	12782	4411	8371	3922	2259	1663	998	302	696	457	21	436	4965	190	4775	2478
(b) EST. EFFECT OF GULF CRISIS 8/				3375	3375	-	5910	5910	-	4295	4295	-				-
DIFFERENCE (a minus b)				547	-1118	-	-4912	-5608		-3838	-4274					

* Does not include contributions to the multinational forces. Totals may not equal sum of components due to rounding. Based on data submitted to the Coordinating Group. Exchange rates as of New York close on 10/19/90.

1/ Unallocated among Egypt, Jordan, and Turkey or the subject of further discussion. Includes humanitarian assistance. 2/ GCC financing for other states is for Syria, Morocco, Lebanon, Somalia, and Djibouti.

3/ Oil to Turkey to be quantified by Rome meeting. 4/ Other countries will be added as their bilateral disbursements are clarified.

5/ French aid to other states is for Morocco. 6/ IMF/World Bank estimates (oil at $31/barrel) circulated to Group shown for illustrative purposes. Not intended to represent precise figure of impact.

0106

11/01/90

TABLE 4: GULF CRISIS FINANCIAL ASSISTANCE *
TERMS AND CONDITIONS – 1990/91
[Millions of U.S. Dollars]

	Balance of Payments			Project Financing	Co-Financing	Unspecified	TOTAL
	Grants	In Kind	Loans				
GCC STATES							
Saudi Arabia	1500	250	0	1000	0	5889	8639
Kuwait						3283	3283
UAE							
EC	670	0	13	0	0	1441	2124
EC Budget	78					882	780
	592					759	1364
Belgium						25	25
France						130	130
Italy	157					0	157
Netherlands						55	55
Other EC						74	74
OTHER EUROPE	22	0	0	0	0	9	31
Sweden						9	9
Switzerland							
JAPAN							
CANADA						86	88
KOREA							
TOTAL	2221	310	853	1178	150	8272	12782

* Does not include contribution to multinational force. Totals may not equal sum of components due to rounding.

Based on data submitted to the Coordinating Group. Includes assistance to Egypt, Turkey, and Jordan. Exchange rates as of New York close on 10/19/90.

1/ Project financing for Egypt is on grant basis. 2/Other countries will be added as their bilateral disbursements are clarified.

3/ Balance of payments loans are 30 years at 1% interest. Project financing is loans, terms not yet specified.

TABLE A

GULF CRISIS FINANCIAL ASSISTANCE *

($ Billions – as of 10/31/90)

Creditor	Commitments
GULF STATES	8.4
EUROPEAN COMMUNITY	2.2
JAPAN	2.0
OTHER	0.2
TOTAL	12.8

* Includes all commitments to date for extraordinary economic assistance in 1990 and 1991.
  Does not include contributions to the multinational force.

TABLE B

GULF CRISIS FINANCIAL ASSISTANCE *

($ Billions – as of 10/31/90)

Creditor	Total Commitments	1990 Commitments	1991 Commitments	Disbursements To Date
GULF STATES	8.4	7.7	0.8	-4.3
EUROPEAN COMMUNITY	2.2	0.6	1.5	0.1
JAPAN	2.0	0.7	1.3	0.0
OTHER	0.2	0.1	0.1	0.0
TOTAL	12.8	9.1	3.7	4.4

* Includes all commitments to date for extraordinary economic assistance in 1990 and 1991.
  Does not include contributions to the multinational force. Totals may not equal sum of components due to rounding.

GULF CRISIS FINANCIAL ASSISTANCE *

($ Billions – as of 10/31/90)

Creditor	Total Commitments	1990–91 Commitments		Other States
		Egypt/Turkey/Jordan	Unallocated	
GULF STATES	8.4	3.2	2.8	2.4
EUROPEAN COMMUNITY	2.2	1.1	1.1	0.0
JAPAN	2.0	0.9	1.1	0.0
OTHER	0.2	0.0	0.2	0.0
TOTAL	12.8	5.2	5.2	2.4

* Includes all commitments to date for extraordinary economic assistance in 1990 and 1991.
Does not include contributions to the multinational force.

0110

外 務 部

종 별 : 지급

번 호 : USW-5490   일 시 : 90 1211 1850

수 신 : 장관(미북,통일,재무부)

발 신 : 주 미 대사

제 목 : 페만 사태 제 5차 실무 회의

　　금 12.11 1430-1645 간 페만 사태 5 차 실무 회의가 재무부 회의실에서 DALLARA 재무부 국제 경제 차관보, HECKLINGER 국무부 경제 담당 부차관보 공동 주재로 개최된바, 당관에서는 최영진 참사관및 허 재무관이 참석함.

　　요지 하기임.

　　1. HECKLINGER 부차관보는 페만 사태의 정치적 측면에 관해 언급, 최근의 이라크의 인질 석방을 환영하나, 이라크는 쿠웨이트로부터 철수 할때까지 경제 봉쇄 및 정치. 군사적 압력을 계속 받게 될것이라고 언명하며, 이라크 외상의 방미와 관련 이는 협상의 시작이 아니며 무력 사용을 허용하는 유엔 결의의 내용을 확실히하는 기회로 활용될것이라고함.

　　2. 이어 IMF/IBRD 측으로부터 전선 국가의 경제적 곤경과 피해에 관한 설명이 있었고 북히 터키와 요르단에 대한 원조가 부진함을 언급하고 이들 국가들에 대한 조기 원조의 필요성을 역설함.

　　3. 이어 로마 회의 이후의 원조 진행 내용을 감안, 작성된 별첨 도표에 대한 각국별 설명이 있었는바, 당관 최참사관은 한국관련 지난 11 월 외무 차관을 단장으로한 사절단이 전선 국가를 방문 협의한 결과에 따라 우선 이집트에 23 백만, 터키에 20 백만, 요르단에 15 백만불을 배정하였으며, 나머지 42 백만부로도이들 전선 3 개국을 주로하여 고도 배정될것이라고 설명하고, 지난 11 월 페만사태 원조에 관한 예산안이 국회를 통과한 만큼 수원국의 사정에 따라 신속한 시행(DISBURSEMENT)이 뒤따르게 될것임을 설명함.

　　4. DALLARA 차관보는 도표에서 보는것 처럼 전선 국가에 대한 총 원조액의 30-50 억불이 부족한점과 원조 시행이 지연되고 있는점을 지적하며, 추가 원조 약속및 조기 원조 시행을 각 본국정부에 건의할것을 당부함.

미주국	차관	1차보	2차보	중아국	통상국	청와대	안기부	재무부

PAGE 1

90.12.12　10:11
외신 2과　통제관 BW

0111

5. 하기 회의는 91.1 초에 갖기로 한바, 그때까지 별첨 도표 한국관계 부분에 관해
추가 또는 수정 사항이 있으면 통보 바람.

　　첨부 USW(F)-3436──

　　(대사 박동진-국장)

　　예고:91.12.31 까지

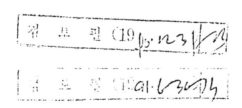

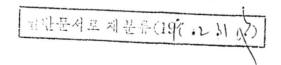

USW(F) ―3436
수신 : 장관 (미북, 통아, 재무부)
발신 : 주미대사.
제목 : 걸안사태 제5차 실무회의 (의제)

GULF CRISIS FINANCIAL COORDINATION GROUP

WORKING COMMITTEE MEETING
December 11, 1990

AGENDA

I. Introduction by Chair

II. Review of Results of November 5 Rome Meeting

III. Recent Political Developments

IV. Presentation by IMF and World Bank

    A. IMF/World Bank Responses to Gulf Crisis

    B. Economic Developments in and Status of Discussions with Egypt, Turkey, and Jordan

V. Status of Commitments and Disbursements

    A. Commitments and Disbursements to Egypt, Turkey, and Jordan

    B. Prospects for Acceleration of Disbursements

    C. Additional Commitments for 1991

VI. Additional Assistance Efforts

VII. Next Steps

0113

THE WORLD BANK/IFC/M.I.G.A.

Headquarters: Washington, D.C. 20433 U.S.A.
Tel. No. (202) 477-1234 // Fax Tel. No. (202) 477-6391 // Telex No. RCA 248423
FACSIMILE COVER SHEET AND MESSAGE

DATE: December 11, 1990   NO. OF PAGES: 1   MESSAGE NUMBER:
(including this sheet)

TO
Name: Mr. Choi, Economic Section   Fax Tel. No. 9-202-797-0595
Organization: Embassy of Korea   City: Washington, D.C.
                                                Country: U.S.A.

FROM
Name: Bruce Benton, Oncho Coordinator   Fax Tel. No. 202-473-54-50
Dept./Div. AF5PH   Dept/Div No. 22232
Room No. J-7257   Tel. No. 202-473-03-

SUBJECT: Contribution

MESSAGE:

Dear Mr. Choi,

Thank you for your telephone call this morning regarding the
Republic of Korea's 1990 contribution to the Onchocerciasis
(Riverblindness) Control Programme.

Payment of the US$60,000 should be made to:

International Development Association's Account T
Federal Reserve Bank of New York
Attn: Foreign Department
Reference: Onchocerciasis Control Programme Phase III
(Project No. 21530)

When making payment please instruct the Federal Reserve Bank of
New York to advise the World Bank's Cash Management Department, 1)
that the contribution is for the Onchocerciasis Control Programme,
Phase III (Project No. 21530); 2) of the amount of the contribution
received, and 3) of the date of receipt.

On behalf of the 11 African participating countries, and the
other 23 donors to OCP, I would like to express our sincere
appreciation for the Republic of Korea's continued support for, and
active participation in, the Onchocerciasis Control Programme.

Sincerely yours,

Bruce Benton
Onchocerciasis Control Programme

Transmission authorized by: Bruce Benton, Onchocerciasis Coordinator, AF5PH

If you experience any problem in receiving this transmission, inform the sender at the telephone or fax number listed above.

1854 (2-90)

0114

GULF CRISIS FINANCIAL ASSISTANCE *
1990-91 COMMITMENTS AND DISBURSEMENTS
(Millions of U.S. Dollars)

12/7/90

	TOTAL Commit.	TOTAL Disb. to Date	TOTAL Future Disb.	Egypt Commit.	Egypt Disb. to Date	Egypt Future Disb.	Turkey Commit.	Turkey Disb. to Date	Turkey Future Disb.	Jordan Commit.	Jordan Disb. to Date	Jordan Future Disb.	Unallocated 1/ Commit.	Unallocated Disb. to Date	Unallocated Future Disb.	Other States Commit.	Other States Disb. to Date	Other States Future Disb.	GRAND TOTAL Commit.	GRAND TOTAL Disb. to Date	GRAND TOTAL Future Disb.
GCC STATES 2/	6335	3177	3158	2650	2635	15	1810	475	1335	0	0	0	1875	67	1808	2439	1639	800	8774	4016	4758
Saudi Arabia 3/	2835	1750	1085	1675	1675	0	1160	75	1085	0	0	0	0	0	0	1413	613	800	4248	2363	1885
Kuwait	2500	840	1660	555	540	15	300	300	0	0	0	0	1645	0	1645	763	763	0	3263	1603	1660
UAE 3/	1000	587	413	420	420	0	350	100	250	0	0	0	230	67	163	263	263	0	1333	850	413
EC	2154	111	2043	664	16	848	190	2	189	230	21	210	870	73	797	39	0	39	2193	111	2082
EC Budget	760	78	682	16	16	0	2	2	0	10	10	0	733	51	682	0	0	0	760	78	682
Bilateral 4/	1394	33	1361	848	0	848	188	0	189	221	11	210	137	22	115	39	0	39	1433	33	1400
Belgium	25	0	25	10	0	10	9	0	9	6	0	6	0	0	0				25	0	25
Denmark	30	4	26	20	0	20	0	0	0	0	0	0	10	4	6				30	4	26
France 5/	200	0	200	50	0	50	30	0	30	20	0	20	100	0	100	30	0	30	230	0	230
Germany	883	7	876	665	0	665	73	0	73	145	7	138	0	0	0				883	7	876
Ireland	6	0	6	0	0	0	0	0	0	6	0	6	0	0	0				6	0	6
Italy 6/	148	4	144	74	0	74	48	0	48	26	4	22	0	0	0	9	0	9	157	4	153
Luxembourg	4	1	3										4	1	3				4	1	3
Netherlands	58	3	55	18	0	18	18	0	18	18	0	18	3	3	0				58	3	55
Spain	35	9	26	11	0	11	11	0	11	5	0	5	9	9	0				35	9	26
U.K.	5	5	0	0	0	0	0	0	0	0	0	0	5	5	0				5	5	0
OTHER EUROPE	184	32	152	12	0	12	5	0	5	12	0	13	155	32	123	0	0	0	184	32	152
Austria	11	1	10	0	0	0	0	0	0	0	0	0	11	1	10	0	0	0	11	1	10
Finland	11	0	11	0	0	0	0	0	0	0	0	0	11	0	11	0	0	0	11	0	11
Iceland	3	0	3	0	0	0	0	0	0	1	0	1	2	0	2	0	0	0	3	0	3
Norway	5	0	5	2	0	2	2	0	2	0	0	0	2	0	2	0	0	0	5	0	5
Sweden	45	22	23	10	0	10	3	0	3	10	0	10	22	22	0	0	0	0	45	22	23
Switzerland	109	9	100	0	0	0	0	0	0	0	0	0	109	9	100	0	0	0	109	9	100
JAPAN	2022	197	1825	419	0	419	286	0	286	250	175	75	1067	22	1045	0	0	0	2022	197	1825
CANADA	73	18	55	25	0	25	5	0	5	25	0	25	18	18	0	0	0	0	73	18	55
KOREA	83	0	83	23	0	23	20	0	20	15	0	15	25	0	25	17	0	17	100	0	100
(a) TOTAL COMMITMENTS	10851	3535	7316	3993	2651	1342	2316	477	1839	530	196	337	4010	212	3798	2495	1639	856	13346	5174	8172
(b) EST. EFFECT OF GULF CRISIS 7/	13580	13580	-	3375	3375	-	5910	5910	-	4295	4295	-	-	-	-	-	-	-	-	-	-
DIFFERENCE (a minus b)	-2729	-10045	-	618	-724	-	-3594	-5433	-	-3762	-4099	-	-	-	-	-	-	-	-	-	-

* Does not include contributions to the multinational force. Totals may not equal sum of components due to rounding. Based on data submitted to the Coordinating Group. Exchange rates as of New York close on 10/19/90.

1/ Unallocated among Egypt, Jordan, and Turkey. Includes general humanitarian assistance. 2/ GCC financing for "Other States" is for Syria, Morocco, Lebanon, Somalia, and Djibouti.

3/ Grant aid to Turkey: $1160 million from Saudi Arabia and $250 million from the UAE. 4/ Other countries will be added as their bilateral disbursements are clarified. 5/ French aid to "Other States" is for Morocco.

6/ Italian aid to "Other States" is for Somalia. 7/ IMF/World Bank estimates (all of $3H alloted) circulated to Group shown for illustrative purposes. Not intended to represent precise figure of impact.

0115

정 리 보 존 문 서 목 록					
기록물종류	일반공문서철	등록번호	15226	등록일자	1999-10-18
분류번호	772	국가코드	XF	보존기간	영구
명 칭	걸프사태 재정지원 공여국 조정위원회 회의, 1990-91. 전6권				
생 산 과	북미1과/경제협력2과/중동2과	생산년도	1990~1991	담당그룹	
권 차 명	V.3 제4차. Washington D.C., 1991.2.5				
내용목차	* 수석대표 : 유종하 외무차관 * 1991.2.3-8 유종하 외무차관 미국 방문(걸프사태 지원문제 관련 대미국 협의 등)				

0001

외 무 부

관리
번호 91-111

종 별 : 지 급

번 호 : USW-0335

일 시 : 91 0122 1447

수 신 : 장관(미북,중근동)

발 신 : 주 미 대 사

제 목 : 걸프전 분담금

대 WUS-4216

1.DALLARA 재무부 차관보는 당관앞 서한을 통해, 걸프전 제 4 차 조정국 회의가 1.30(수), 동 조정국 회의 준비를 위한 제 6 차 실무회의가 1.24(목) 개최됨을 알려옴.

2. 동 실무 회의 참석시 활용코저 하니, 지원 약속, 집행 내역에 추가 또는수정 사항이 있는 경우, 회시 바람.

(대사 박동진-국장)

91.6.30 까지

미주국   장관   차관   2차보   중아국

PAGE 1

91.01.23   05:52

외신 2과   통제관 CA

0002

	분류번호	보존기간

발 신 전 보

WUS-0277   910123 1931   DP

번   호 : _____   종별 : _____

수   신 : 주   미   대사.총영사

발   신 : 장 관   (미북)

제   목 : 제4차 걸프사태 지원 공여국 조정회의

1. 주한 미 대사관측은 1.19(토) 표제회의가 91.1.30(수) 14:00
워싱턴에서 개최될 예정임을 알리는 멀포드 재무차관 및 키미트 국무차관 공동명의
서한 내용을 전달해 왔음.

2. 토의의제는 91년도 전선국가 지원 문제를 중점 토의하고 금번 사태의
대 전선국가 영향에 대한 IMF/IBRD 보고 청취가 될 것이라 하는 바, 귀관 최 참사관,
재무관이 참석하고 결과 보고 바람.   끝.

(차관 유 종 하)

예 고 : 91.12.31. 일반

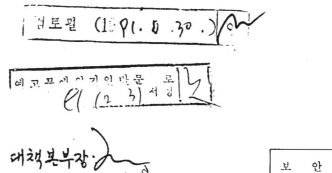

	기안자 성 명		과 장	국 장		차 관	장 관	
앙 고 재 91년 1월 19일 북 미 과			심의관		1차반보			보 안 통 제
								외신과통제

0003

Text of letter from Undersecretary of the Treasury for
International Affairs David Mulford and Undersecretary of State
for Political Affairs Robert Kimmitt concerning the next
meeting of the Gulf Crisis Financial Coordination Group:

DEAR COLLEAGUE:

     AT THE NOVEMBER 5 MEETING OF THE GULF CRISIS FINANCIAL
COORDINATION GROUP IN ROME WE AGREED TO RECONVENE IN
EARLY 1991. AS EVENTS NOW UNFOLD IN THE GULF, WE SHOULD
FOCUS ON THE FINANCIAL REQUIREMENTS THAT ARE EXPECTED TO
DEVELOP FOR THE FRONT LINE STATES THIS YEAR.

     WE WILL ALSO HAVE A REPORT FROM THE IMF AND WORLD BANK ON
THE IMPACT OF THE CRISIS ON THE FRONT LINE STATES.
WE PROPOSE THAT THE NEXT MEETING OF THE GULF CRISIS
FINANCIAL COORDINATION GROUP TAKE PLACE IN WASHINGTON ON
JANUARY 30, 1991, AT 2:00 P.M.

     WE WILL BE SENDING OUT AN AGENDA PLUS AN UPDATE OF
COMMITMENTS AND DISBURSEMENTS BEFORE THE NEXT MEETING.

                         SINCERELY,

                         DAVID C. MULFORD
                         UNDERSECRETARY OF THE TREASURY
                         FOR INTERNATIONAL AFFAIRS

                         ROBERT M. KIMMITT
                         UNDERSECRETARY OF STATE
                         FOR POLITICAL AFFAIRS

0004

관리 번호	이-154

외 무 부

종 별 : 지 급

번 호 : USW-0405   일 시 : 91 0124 1825

수 신 : 장관(미북/중근동)

발 신 : 주 미 대사

제 목 : 걸프 사태 제 4차 조정위 실무회의

대: WUS-0277, 0278

연: USW-0335

대호, 표제 회의가 금 1.24(목) 1000-1200 재무성에서 개최되었으며, 당관에서는 최영진 참사관및 허노중 재무관이 참석하였는바, 주요 내용 하기 보고함.

1. DALLARA 재무부 차관보는 당초 1.30 개최 예정이었던 조정위 회의를 각국대표 참석 일정을 감안, 2.5 로 연기, 개최키로 하였다고 하면서 걸프만 사태 재정지원국 회의가 그간 전선국가에 대한 지원과 대이락 국제적 단결 과시라는 두가지 목적을 훌륭히 달성해 왔으며, 짧은 시간내에 136 억불이라는 거액을 재정 원조로 지원할수 있게 된것이 이를 뒷받침하고 있다고 언급함.

2. 이에 MULFORD 국무부 차관보는 그간 군사및 재정 지원을 통하여 이라크의 쿠웨이트로부터의 철수라는 궁극적 목적을 달성하기 위한 노력을 계속하여 왔으며, 1.16 이후 OPERATION DESERT STORM 으로 결정적인 계기를 맞게 되었다고 하면서 재정 지원 그룹국가들도 지금이 바로 결정적인 행동을 취할 시기라는 점을 유의해 달라고 당부함(MULFORD 차관보는 재정 원조 부문은 아니지만 일본이다국적군 지원을 위해 90 억불이라는 거액을 추가 약속 하였다고 발표함)

3. IMF/IBRD 측의 전선 3 개국가의 경제 피해 상황 설명에 이어, DALLARA 차관보는 전쟁 발발로 인하여 30-35 억불의 추가 피해가 발생하였다고 요약하면서, 원조 실행과 관련 이집트의 경우 반 이상이 이미 집행 되었으나 터키및 요르단의 경우는 집행 실적이 미미한 상태라고 설명하고 각국별로 2.4 까지 추가 집행내역및 미 할당분 할당 내역을 통보하여 줄것을 요망함(아측 현황 2.4 전 당관에 통보 바람)

4. 각국별 발언에 들어가 당관 최영진 참사관은 대호에 따라 한국의 경우 현재까지 터키에 500 만불, 모로코에 200 만불이 기 집행되었음을 설명하고 90 년도 지원분인

미주국   장관   차관   1차보   중아국

7,500 만불이 이미 국회의 승인을 득한 만큼 조속한 집행이 뒤따를것이라고 설명하였음. 이에 대해 DALLARA 차관보는 한국측이 집행을 촉진하고 있는데 대해 환영한다고 언급함.

5. 일본측은 별첨 도표 내역중 이집트에 대해 이미 3 억불의 집행 준비가 끝난 상태라고 설명하고, 총액에 있어 3 천 8 백만불이 추가 되어 20 억 6 천만불이 현재까지의 약속액이라고 설명함.

6. 금번 회의에는 호주가 처음으로 참석 하였으며, 호주 대표는 걸프 해역에전함을 파견한외에 재정 원조로서 난민 구호를 위한 200 만불, 이집트 식량 원조를 위한 120 만불을 포함, 총 490 만불을 집행하였다고만 설명함.

　　첨부 USW(F)-0295

　　(대사 박동진-국장)

　　91.6.30 까지

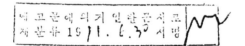

과장: 정필 (2. 24)
심의관: 결재없음.
국장: 가요 (대리, 김외호)
약명: USW(F) - 0248

GULF CRISIS FINANCIAL ASSISTANCE *
TERMS AND CONDITIONS – 1990/91
(Millions of U.S. Dollars)

1/23/91

| | Balance of Payments | | | | | | |
	Grants	In Kind	Loans	Project Financing	Co-Financing	Unspecified	TOTAL
GCC STATES							
Saudi Arabia 1/	1000	1410	0	500	0	3438	6348
Kuwait	1000	1160		500		188	2848
UAE		250				2500	2500
EC	513		13			1637	2163
EC Budget	78					682	760
Bilateral: 2/	435		13			955	1403
Belgium						32	32
Denmark	21					9	30
France						200	200
Germany	414		13			457	884
Ireland						6	6
Italy						150	150
Luxembourg						4	4
Netherlands						57	57
Spain						35	35
U.K.						5	5
OTHER EUROPE							
Austria	45					157	202
Finland						11	11
Iceland						11	11
Norway						3	3
Sweden	45						45
Switzerland						109	109
JAPAN 3/	29		600	176	150	1067	2022
CANADA						66	66
KOREA		60	23				83
TOTAL	1587	1470	636	676	150	6365	10884

* Does not include contribution to multinational force. Totals may not equal sum of components due to rounding.

Based on data submitted to the Coordinating Group. Includes assistance to Egypt, Turkey, and Jordan. Exchange rates as of New York close on 10/19/90.

1/ Project financing for Egypt is on grant basis. 2/ Other countries will be added as their bilateral disbursements are clarified.

3/ Balance of payments loans are 30 years, at 1% interest. Project financing is loans, terms not yet specified.

1/22/91

GULF CRISIS FINANCIAL ASSISTANCE *
1990-91 COMMITMENTS AND DISBURSEMENTS
(Millions of U.S. Dollars)

	TOTAL			Egypt			Turkey			Jordan			Unallocated 1/			Other States			GRAND TOTAL		
	Commit.	Disb. to Date	Future Disb.	Commit.	Disb. to Date	Future Disb.	Commit.	Disb. to Date	Future Disb.	Commit.	Disb. to Date	Future Disb.	Commit.	Disb. to Date	Future Disb.	Commit.	Disb. to Date	Future Disb.	Commit.	Disb. to Date	Future Disb.
GCC STATES 2/	6348	2997	3351	2663	2248	415	1810	682	1128	0	0	0	1875	67	1808	2529	2029	500	8877	5026	3851
Saudi Arabia 3/	2848	1570	1278	1688	1288	400	1160	282	878	0	0	0	1645	0	1645	1503	1003	500	4351	2573	1778
Kuwait	2500	840	1660	555	540	15	300	300	0	0	0	0	1645	0	1645	763	763	0	3263	1603	1660
UAE 3/	1000	587	413	420	420	0	350	100	250	0	0	0	230	67	163	283	263	0	1263	850	413
EC	2164	489	1675	871	172	699	191	86	105	234	159	75	868	73	796	108	0	108	2272	489	1783
EC Budget	760	78	682	16	16	0	2	2	0	10	10	0	733	51	682	0	0	0	760	78	682
Federal 4/	1403	411	993	855	156	699	189	84	105	224	149	75	135	22	114	108	0	108	1511	411	1101
Belgium	32	7	25	16	6	10				7	1		10						32	7	25
Denmark	30	4	26	20		20							10						30	4	26
France 5/	200	0	200	50		50	30		30	20		20	100	0	100	30		30	230	0	230
Germany	884	338	546	665	132	533	73	73	0	146	133	13	0	0	0	69	0	69	953	338	615
Ireland	6	0	6	0	0	0													6	0	6
Italy 6/	150	4	146	75	0	75	49	0	49	77	4		0	0	0	9	0	9	159	4	155
Luxembourg	4	1	3	18	18	0	18	11	7	18	11	7	3	1	2	0	0	0	4	1	3
Netherlands	57	43	14	11	0	11	11	11	0	5	0	5	0	0	0	0	0	0	57	43	14
Spain	35	9	26	11	0	11							5	5	0				35	9	26
U.K.	5	5	0																5	5	0
OTHER EUROPE	202	32	170	12	0	12	5	0	5	13	0	13	173	32	141	0	0	0	202	32	170
Austria	11	1	10										11	1	10	0	0	0	11	1	10
Finland	11	0	11										11	0	11	0	0	0	11	0	11
Iceland	3	0	3						1				2	0	2	0	0	0	3	0	3
Norway	23	0	23	2		2	2		2	2		2	18	0	18	0	0	0	23	0	23
Sweden	45	22	23	10	0	10	3		3	10		10	22	22	0	0	0	0	45	22	23
Switzerland	109	9	100	0	0	0	0	0	0	0	0	0	109	9	100	0	0	0	109	9	100
JAPAN	2022	377	1645	419	0	419	286	200	86	250	155	95	1067	22	1045	0	0	0	2022	377	1645
CANADA	66	17	49	22	0	22	4	0	4	15	0	15	17	17	0	0	0	0	66	17	49
KOREA	100	0	100	23	0	23	20	0	20	15	0	15	25	0	25	17	0	17	100	0	100
(a) TOTAL COMMITMENTS	10885	3912	6973	4010	2420	1590	2316	968	1348	534	314	220	4025	211	3815	2654	2029	625	13539	5941	7598
(b) EST. EFFECT OF GULF CRISIS 7/	13580	13580	-	3375	3375	-	5910	5910	-	4295	4295	-	-	-	-	-	-	-	-	-	-
DIFFERENCE (a minus b)	-2695	-9668		635	-955		-3594	-4942		-3761	-3981										

* Does not include contributions to the multinational force. Totals may not equal sum of components due to rounding. Based on data submitted to the Coordinating Group. Exchange rates as of New York close on 10/19/90.

1/ Unallocated among Egypt, Jordan, and Turkey. Includes general humanitarian assistance. 2/ GCC financing for "Other States" is for Syria, Morocco, Lebanon, Somalia, and Djibouti. 3/ Grant oil to Turkey: $1160 million from Saudi Arabia and $250 million from the UAE. 4/ Other countries will be added as their bilateral disbursements are clarified. 5/ Protocols for $130 million of grand total were signed by end-November. Aid to "Other States" is for Morocco.

5/ Italian aid to "Other States" is for Somalia. 7/ IMF/World Bank estimates (oil at $31/barrel) circulated to Group shown for illustrative purposes. Not intended to represent precise figure of impact.

0008

JANUARY 28, 1991

<u>TEXT OF LETTER FROM UNDERSECRETARY OF THE TREASURY FOR
INTERNATIONAL AFFAIRS DAVID MULFORD AND UNDERSECRETARY OF STATE
FOR POLITICAL AFFAIRS ROBERT KIMMITT CONCERNING THE NEXT
MEETING OF THE GULF CRISIS FINANCIAL COORDINATION GROUP:</u>

DEAR COLLEAGUE:

THIS IS A FOLLOW-UP TO OUR EARLIER INVITATION FOR THE NEXT
MEETING OF THE GULF CRISIS FINANCIAL COORDINATION GROUP.
DUE TO SCHEDULING PROBLEMS A NUMBER OF YOU HAD WITH THE
ORIGINALLY PROPOSED DATE OF JANUARY 30, THE MEETING HAS
NOW BEEN RESCHEDULED FOR TUESDAY, FEBRUARY 5, 1991, FROM
10:00 A.M. UNTIL 1:00 P.M. IN WASHINGTON AT THE TREASURY
DEPARTMENT.

WE WILL BE SENDING OUT AN AGENDA PLUS AN UPDATE OF
COMMITMENTS AND DISBURSEMENTS BEFORE THE NEXT MEETING.

AS NOTED EARLIER, WE SHOULD FOCUS ON THE FINANCIAL
REQUIREMENTS THAT ARE EXPECTED TO DEVELOP FOR THE FRONT
LINE STATES THIS YEAR. WE LOOK FORWARD TO YOUR
PARTICIPATION.

DAVID C. MULFORD
UNDER SECRETARY OF THE TREASURY
FOR INTERNATIONAL AFFAIRS

ROBERT M. KIMMITT
UNDER SECRETARY OF STATE
FOR POLITICAL AFFAIRS

0009

FEBRUARY 5 MEETING OF GULF CRISIS FINANCIAL COORDINATION GROUP

1/28/91

O WITH THE OUTBREAK OF HOSTILITIES, THE GROUP'S WORK HAS
BECOME EVEN MORE IMPORTANT. THE URGENCY OF THE NEED OF
THE FRONT LINE STATES FOR ECONOMIC ASSISTANCE HAS ONLY
INCREASED. THE ABILITY OF THE GROUP TO RESPOND TO THESE
NEEDS NOW IS AN IMPORTANT DEMONSTRATION OF THE SOLIDARITY
OF THE COALITION. THE TIME TO ACT IS NOW, AND DONORS MUST
MAKE THE BASIC DECISIONS AND DISBURSE THE MONIES THAT ARE
SO CRUCIAL TO THE FUTURE OF THE FRONT LINE STATES.

O THE UPCOMING MEETING OF THE GCFCG PROVIDES A CRITICAL
OPPORTUNITY TO DEMONSTRATE OUR CONTINUING SOLIDARITY IN
CONFRONTING IRAQ AND OUR EFFORTS TO ACHIEVE BROAD-BASED
AND EFFECTIVE SHARING OF THE ACCOMPANYING RESPONSIBILITIES.

O WE NEED TO CONTINUE TO WORK TOGETHER TO ENSURE THAT WE
ARE OFFSETTING THE MAJOR ECONOMIC COSTS INCURRED BY THOSE
COUNTRIES WHICH ARE MOST SERIOUSLY AFFECTED BY THE CRISIS
AND ARE STANDING SOLIDLY BEHIND THE UN COALITION. THE
WORLD COMMUNITY WOULD FIND IT DIFFICULT TO ACCEPT DELAYS
IN THE ASSISTANCE EFFORT NOW THAT HOSTILITIES HAVE BEGUN.

O WE ARE ASKING ALL DONORS TO ANNOUNCE THE COMPLETE
DISBURSEMENT OF ALL 1990 PLEDGES BY FEBRUARY 5. WE ARE
ALSO ASKING THAT TO THE GREATEST EXTENT POSSIBLE MONIES
ALREADY PLEDGED FOR 1991 BE ALLOCATED BY FEBRUARY 5 AND
DISBURSED BY MARCH 31.

O WE BELIEVE THE COORDINATION GROUP SHOULD GIVE PRIORITY
ATTENTION TO THE NEEDS OF TURKEY (WHICH IS MAKING
SUBSTANTIAL CONTRIBUTIONS TO THE COALITION), EGYPT AND
JORDAN, BOTH OF WHICH FACE MAJOR ECONOMIC LOSSES AND A
SHORTFALL IN ASSISTANCE TO DATE.

O THE US IS APPROACHING ONLY FIVE COUNTRIES FOR
CONTRIBUTIONS TOWARDS THE COSTS OF DESERT SHIELD AND
DESERT STORM. KUWAIT AND JAPAN HAVE JUST ANNOUNCED
COMMITMENTS OF DOLLARS 13.5 BILLION AND DOLLARS 9 BILLION,
RESPECTIVELY, FOR THIS PURPOSE. WE WOULD HOPE COUNTRIES
THAT HAVE NOT CONTRIBUTED SUBSTANTIALLY TOWARDS THE
MILITARY RESPONSIBILITY SHARING WOULD MAKE A
DISPROPORTIONATELY STRONG EFFORT TO PROVIDE ECONOMIC
ASSISTANCE FOR THE FRONT LINE STATES.

0010

O WE BELIEVE THAT THE EUROPEAN DONORS, ALONG WITH THE
GOVERNMENT OF JAPAN, SHOULD BE PREPARED TO MEET JORDAN'S
UNMET FINANCING NEEDS, IF JORDAN CONTINUES TO MEET THE
GROUP'S POLITICAL REQUIREMENTS. THE USG IS PROGRAMMING
OUR BILATERAL AID FOR JORDAN AT GENERALLY NORMAL LEVELS.

O THE GROUP HAS DONE WELL TO DATE IN MEETING EGYPT'S
ESTIMATED NEEDS, BUT WE WOULD NOTE THAT THE OUTBREAK OF
HOSTILITIES WILL PROBABLY RESULT IN ADDITIONAL NEEDS
BECOMING OBVIOUS IN THE COMING MONTHS (DUE TO SUCH
DEVELOPMENTS AS LOWER OIL RECEIPTS, FEWER TOURISTS,
ETC.). PRELIMINARY IMF/WORLD BANK ANALYSIS INDICATE THAT
HOSTILITIES WILL PROBABLY RESULT IN SUBSTANTIAL ADDITIONAL
NEEDS FOR TURKEY AND JORDAN AS WELL.

O IT IS PARTICULARLY IMPORTANT THAT ALL DONORS TAKE
VIGOROUS STEPS TO ENHANCE THE IMPACT OF THEIR ASSISTANCE
IN THIS POLITICAL EFFORT. WE URGE YOUR GOVERNMENT TO
PROVlDE THE BULK OF YOUR AID IN THE FORM OF GRANTS, UNTIED
COMMODITY CREDITS OR OTHER QUICK-DISBURSING ASSISTANCE.

O AT THE COORDINATION GROUP MEETING THE US WILL ALSO
EXPRESS ITS CONTINUING STRONG INTEREST IN ENSURING
EFFECTIVE SUPPORT FOR THE ECONOMIC AND POLITICAL
TRANSITION UNDERWAY IN EASTERN EUROFE. ANY ADDITIONAL
STEPS WHICH YOUR GOVERNMENT MIGHT TAKE, THROUGH THE G-24
OR OTHERWISE, WOULD BE GREATLY APPRECIATED AND WOULD MAKE
A POSITIVE CONTRIBUTION TO THE POLITICAL STABILITY
NECESSARY TO UNDERPIN OUR EFFORTS IN THE GULF.

O THE USG WISHES TO EXPRESS APPRECIATION FOR YOUR
GOVERNMENT'S EFFORTS TO MOBILIZE RESOURCES TO SUPPORT THE
COUNTRIES MOST AFFECTED BY THE GULF CRISIS, AND FOR YOUR
RECOGNITION OF THE IMPORTANCE OF EFFECTIVE BURDENSHARING
IN DEMONSTRATING THE SOLIDARITY AND STAYING POWER OF THE
UN COALITION.

0011

발 신 전 보

번 호 :　WUS-0357　910130 0938 FG　종별 : **WNY-142**

수　신 : 주　　미　　대사 총영사 (사본 : 뉴욕 총영사)

발　신 : 장　관　　(미북)

제　목 : 제4차 걸프사태 재정 지원 공여국 조정위 회의

　　　　연 : WUS-0277

　　　　대 : USW-0405

1. 대호 정부는 표제 회의에 유종하 외무차관을 수석 대표로하고 관계부처 고위 실무자를 포함하는 대표단을 파견키로 결정하였음.(동 대표단은 경기원, 재무부 대표로 구성되며 연호 귀관 대표도 포함됨)

2. 대표단을 우선 하기와 같은 일정으로 귀지 방문코자하니 필요한 일정 주선, 숙소예약 조치하고 결과 보고바람.

아　　래

　　2.3(일)　10:00　KE-026편　　서울 출발

　　　　　　11:15　　　　　　　뉴욕 도착

　　　　　　　　　　　　　　　오 찬(뉴욕 시내)

　　　　　　16:00　TV 1491 편　뉴욕 출발(La Guardia 공항)

　　　　　　17:10　　　〃　　　워싱턴 도착(National 공항)

　　2.4(월)　Kimmitt 국무부 정무차관 면담

　　　　　　Bolton 국무부 국제기구 담당 차관보 면담

/계속/ 대변부장 :

앙고재	91년 1월 28일	북미과	기안자 성명	과장	심의관	국장	1차관보	차관	장관
							전결		

외신과통제

0012

2.5(화)　　제4차 공여국 조정위 회의 참석

　　　　　McCormack 국무부 경제차관 면담

2.6(수)　　백악관, 국무부, 국방부내 차관보 또는 부차관보급 걸프

　　　　　사태 전문가와의 걸프 사태 전망 논의를 위한 오찬 간담회

2.7(목)　　10:00　　　TV 1430 편　　　워싱턴 출발(National 공항)

　　　　　11:02　　　　　　　　　　뉴욕 도착(La Guardia 공항)

　　　　　13:20　　　KE 025 편　　　뉴욕 출발(JFK 공항)

　　　　　16:50 , 17:50

2.8(금)　　21:00　　　　　　　　　　김포 도착

3. 수행원 명단은 확정되는 대로 추보 예정임.　　끝.

(장관)

예 고 91.12.31. 일반

검토필 (1991. 6. 30.)

예고문에 의거 일반문서로
재분류 199   (.   ) 서명

0013

관리
번호 91-222

분류번호	보존기간

발 신 전 보

WUN-0190   910130 2344 DP

번   호 : _____   종별 : _____

WUS -0372   WNY -0151

수   신 : 주 유 엔 ~~대사~~. 총영사 (사본 : 주미대사, 주뉴욕총영사)

발   신 : 장 관   (미북)

제   목 : 차관 방미

연 : (워싱턴 : WUS-0357, 뉴욕 : WNY-142)

1.   외무차관은 2.5. 워싱턴 개최 예정인 제4차 걸프사태 재정지원 공여국 조정위 회의에 참석한후 귀관과 유엔 대책에 관해 협의하기 위해 2.7(목) 11:02 TV-1430 편 귀지 도착, 1박후 2.8(금) 13:20 KE-025편 귀국 예정임.

2.   이와 관련, 차관 및 하기 수행원 4명 숙소 예약(Suite 1실, Single 4실) 하고 결과 보고 바람.

        가. 이정보 재무부 경제협력국장
        나. 이운재 경기원 예산총괄과장
        다. 송민순 외무부 안보과장
        라. 남관표 차관 비서관

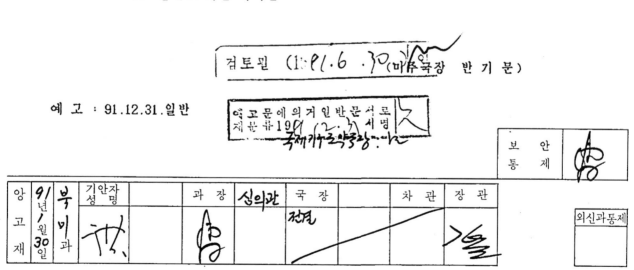

검토필 (1:91.6.30 (미주국장 반기문)

예 고 : 91.12.31.일반

예고문에의거일반문서로
재분류 191 12. 시명
국제기구조약국장

보 안
통 제

앙 고 재	91 년 1 월 30 일	북 미 과	기안자 성명		과장	심의관	국장		차 관	장 관		외신과통제
						전결						

0014

분류번호	보존기간

발 신 전 보

WUS-0371   910130 2344   DP

번 호 :   종별 :
                                                    WNY -0150
수 신 : 주   미   대사 총영사 (사본 : 주뉴욕총영사)

발 신 : 장 관   (미북)

제 목 : 차관 방미 수행원

연 : WUS-0357(뉴욕 : WNY-142)

연호 차관 수행원으로는 이정보 재무부 경제협력 국장, 이운재 기획원 예산 총괄 과장, 송민순 외무부 안보과장 및 남관표 차관 비서관임.   끝.

(미주국장 반 기 문)

예 고 : 91.12.31.일반

검토필 (1.91.6.30.)

예고문에의거일반문서로
재분류19(12)서명

	보 안 통 제	

앙고재	91년 1월 30일 북미과	기안자 성명		과장 심의관	국장		차관	장관	

외신과통제

0015

관리
번호 91-224

원 본

외 무 부

종 별 :

번 호 : UNW-0239

일 시 : 91 0130 1830

수 신 : 장관(미북)

발 신 : 주 유엔 대사

제 목 : 차관 방미

대:WUN-0190

대호 차관 숙소로 아래호텔을 예약하였음.

0. 호텔:UN PLAZA

0. 주소및 전화번호: 1 UN PLAZA , (212-355-3400)

0. 예약객실:SUITE 1 ($460), SINGLE 4 ($215) 끝

(대사 현홍주-국장)

예고:91.12.31. 일반

검토필 (1991. 6. 30.)

예고문에의거일반문서로
재분류 1991. 12. 31.

미주국   차관

분류번호	보존기간

발 신 전 보

WUS-0378   910131 1535   AO

번 호 : _____   종별 : _____

~~UN~~ WUN-0192   WNY-0154

수 신 : 주   미   대사 ~~총영사~~ (사본 : 주   대사 주뉴욕총영사)

발 신 : 장 관 (미북)

제 목 : 차관 방미

연 : WUS-0371, 0372 (UN : WUN-190, 뉴욕 : WNY-0151)

　　연호 수행원에 김동진 국방부 정책실장 (육군 중장, Assistant Minister for Policy) 이 추가 되었는 바, Junior Suite 1실 추가 예약 조치하고 결과 보고바람.

　　　　　　　　　　　　　　　　　　　　　　　　　　　　　　　　끝.

　　　　　　　　　　　　　　　　　　　　　　　(미주국장 반 기 문)

예 고 : 91.12.31.일반

검토필 (19 91. 6. 17.)

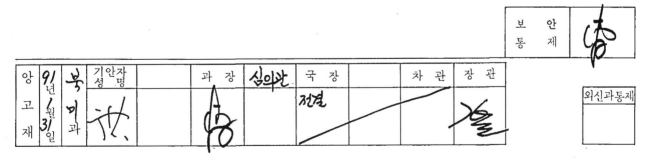
예고문에의거일반문서로재분류 (19 91. 12. 7.)

보 안 통 제	

앙 고 재	91 년 1 월 31 일	북미과	기안자 성명		과장 심의관	국장 전결		차관	장관

외신과통제

0017

원 본

외 무 부

종 별 :

번 호 : UNW-0250

일 시 : 91 0131 1730

수 신 : 장관(미북)

발 신 : 주 유엔 대사

제 목 : 차관방미

대:WUN-0192

대호 김동진 실장 숙소로 UN PLAZA 호텔에 JUNIOR SUITE 1 실 (1 박 $350)을 예약하였음. 끝

(대사 현홍주-국장)

예고:91.12.31. 일반

검토필 (1·91·6·30·)

예고문에의거일반문서로
재분류19 (서명)

미주국

관리
번호 91-238

외 무 부

종 별 : 지급

번 호 : USW-0536

일 시 : 91 0131 1809

수 신 : 장관(미북)

발 신 : 주미대사

제 목 :

대:WUS-0357

1. 현재 KIMMIT 차관등 미 국무부 인사에 대해 면담 신청해 놓은바, BOLTON차관보가 2.4(월) 11:00 로 결정되었으며 KIMMIT 차관은 월요일중으로 가능할것으로 보임. *Henry S. Rowen Ass't sec for Int'l Security Affairs*

MCCORMACK 차관은 현재 국외 출장중인바, 2.10. 에 귀국 예정임.

2. 국방부는 WOLFOWITZ 차관에 대해 면담 신청한바, 동면담이 주선되지 않을 시에는 ROWEN 차관보 (FORD 부차관보 배석)를 OFFICE CALL 하는것이 유익할 것으로 판단되는바, 동건 추진여부 회시 바람.

3. 학계인사로는 BLACKWELL 및 WILLIAM TAYLOR (CSIS 의 군사전문가) 양인을 2.6(수) 15:00 로 추진하고 있음.

4. W.P. STEPHEN ROSENFELD 는 논설 부주간을 2.4 (월) 오찬, NYT 기간중 1 인과의 조찬을 주선중임.

5. 2.6. 오찬에는 SOLOMON 차관보, ANDERSON 부차관보, RICHARDSON *David* 과장, MACK 중근동 부차관보를 초청해 놓았음. 백악관의 JACKSON 보좌관은 당일에 참석이 어려워 국무부에서는 그대신에 PAAL 보좌관을 초청할 것을 권고하고 있는바, PAAL 보좌관을 초청해도 무방할지 회시 바람. 오찬에 FORD 부차관보도 초청했으나 TASK FORCE 반장을 맡고 있어 외출이 곤란하다고 함.

6. 2.3(일)도착 당일에 비공식 대사 주최 만찬및 업무보고를 계획중임을 참고바라며, 기타 희망 일정 회시 바람.

7. 차관 영문 이력서 긴급 타전 바람.

(대사 박동진-국장)

예고:91.12.31 일반

검토필 (1-91.6.30.)

예고문에 의거 일반문서로

미주국   장관   차관   1차보

분류번호	보존기간

발 신 전 보

WUS-0409   910201 1835 DP

번 호 : _____   종별 : _____

수 신 : 주   미   대사 ~~총영사~~ (사본 : 주UN대사, 주뉴욕총영사)   WUN -0211 WNY -0166

발 신 : 장 관   (미북)

제 목 : 차관 방미

연 : WUS-378(WUN:WUN-0192, WNY-154)

대 : USW-536(UNW-250)

연호, 국방부 김동진 실장은 수행원에서 누락되었는바, 대호 숙소예약 취소 바람. 끝.

(미주국장   반기문)

검토필 (1991. 6. 30.)

예 고 : 91.12.31.일반

예고문에의거일반문서로 91.12.31.

보안 통제	

앙 고 재	91 년 2 월 1 일 붕 비 과	기안자 성 명		과 장 심의관	국 장		차 관	장 관		외신과통제

0020

발 신 전 보

번 호 : WUS-0396   910201 0408 DA   종별 :

WUN -0202   WNY -0161

수 신 : 주   미   대사.총영사 (사본 : 주UN대사, 주뉴욕총영사)

발 신 : 장 관   (미북)

제 목 : 차관 방미

연 : WUS-0378(UN : WUN-192, WNY-0154)

국방부 정책실장

1. 표제 및 연호 수행관 추가와 관련, 2.4(월)중 Wolfowitz 국방부 정책담당 차관 면담을 주선하고 결과 보고바람. 대미 추가지원중 1.7억불 관련 양측 실무 협의를 별도로 갖는 방안에 관해서도 미측에 타진 바람.

2. 또한 W.P와 NYT 기자와의 적절한 형태의 접촉(조찬 등)도 주선하고 결과 보고 바람.

3. 걸프사태 관련 아국의 추가지원 내용에 대해 백악관, 국무부, 국방부측 면담 인사들이 제기 또는 요청할 것으로 예상되는 사항과 우리 지원 내용에 대한 수정 및 추가 제의 가능성에 대한 귀관 판단을 보고 바라며 아울러 이에 대해 귀관이 생각할 수 있는 대응 방안도 아울러 보고 바람. 끝.

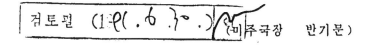
검토필 (1.91.6.30.) (미주국장   반기문)

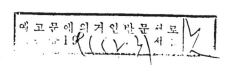
예고문에 의거 일반문서로
1.91(12.31)

예 고 : 91.12.31.일반

보 안
통 제

앙 고 재	91 년 1 월 31 일	북 미 과	기안자 성명		과장	신아란	국장	차관	장관		외신과통제
						전결					

0021

발 신 전 보

	분류번호	보존기간

번   호 : WUS-0406   910201 1831 DP   종별 :

WUN-0210

수   신 : 주   미   대사.//총.영사 (사본 주UN대사)

발   신 : 장 관 (비북)

제   목 : 이력서 송부

대 : USW-0536

대호, 차관 영문 이력서 별첨 송부함.

첨부 : 상기 이력서 1부.   끝.

(미주국장 반기문)

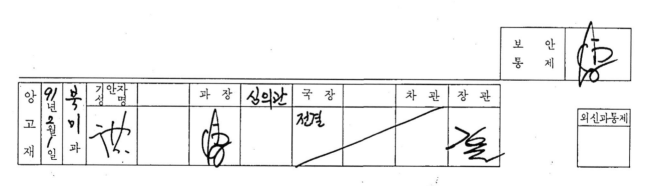

0022

(유종하)   **CURRICULUM VITAE**

NAME   : YOO, Chong Ha

DATE OF BIRTH   : Jul. 28, 1936

EDUCATION   :

    Feb. 1959   Graduated from the Department of Political Science,
                        Seoul National University, Seoul, Korea

    Jul. 1960 -   Studied at Bonn University, West Germany
    Jun. 1961

CAREER   :

    Jan. 1959   Joined the Ministry of Foreign Affairs (MOFA)

    Apr. 1963-   Third Secretary, Korean Embassy in Bonn, West Germany
    Sep. 1965

    Dec. 1967-   Legal Affairs Officer, Office of Planning and Management,
    May   1968   MOFA

    May   1968-   Consul, Korean Consulate General in Chicago, U.S.A.
    Oct. 1968

    Oct. 1968-   Consul, Korean Consulate General in Islamabad, Pakistan
    Mar. 1971

    Mar. 1971-   Director, Southeast Asia Division, MOFA
    Feb. 1974

    Feb. 1974-   Counsellor and Consul-General, Korean Embassy in
    May   1977   Washington, D.C., U.S.A.

    May   1977-   Deputy Director-General, American Affairs Bureau, MOFA
    Jun. 1978

    Jun. 1978-   Director-General, American Affairs Bureau, MOFA
    Apr. 1980

    Apr. 1980-   Minister, Korean Embassy in London, United Kingdom
    Feb. 1983

    Feb. ' 1983-   Ambassador Extraordinary and Plenipotentiary to Sudan
    May   1985

    May   1985-   Assistant Minister for Economic Affairs, MOFA
    Feb. 1987

0023

Feb. 1987-   Ambassador Extraordinary and Plenipotentiary to Belgium
Present

FAMILY   : Married with three sons

분류번호	보존기간

발 신 전 보

번　호 : WUS-0407　910201 1834 DP　종별 :

수　신 : 주　　미　　대사.총영사

발　신 : 장　관　　(미북)

제　목 : 제4차 걸프사태 재정 지원 공여국 조정위 회의

연 : WUS-0278

대 : USW-0405

1. 대호 아국의 90년도 지원 및 집행 내역과 관련, 당초 다국적군 지원 부분중 군수 물자 1,500만불 지원이 90.11. 정부 조사단 현지 방문이후 생필품 지원 2,450만불과 통합되어 수원국이 희망하는 현물을 지원키로 되어, 90년도분 아국 지원액 구성을 다국적군 지원 8,000만불(대미 현금 지원 5천만불, 수송지원 3천만불) 주변국 경제지원 9천만불(EDCF 4천만불, 현물지원 3,950만불, 쌀 1천만불, 국제기구 50만불)이며 집행 내역은 연호와 같음.

2. 연호 이후 현물 지원중 추가 집행 내용은 요르단에 대해 2백만불 상당의 설탕, 미니버스 선적뿐인 바 참고 바람. 끝.

(마주국장 반 기 문)

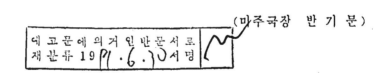

대고문에의거인반문서로
재분류 19 91. 6. 10 서명

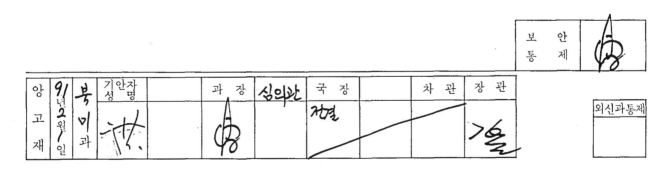

앙 고 재	91 년 2 월 1 일	북 미 과	기 안 자 성 명		과 장		심의관	국 장		차 관	장 관		보 안 통 제	

					외신과통제

0025

외 무 부

종 별 : 지 급

번 호 : USW-0550

일 시 : 91 0131 1616

수 신 : 장관(미북)

발 신 : 주 미 대사

제 목 : 제 4차 걸프 사태 재정 지원 공여국 회의

연 USW-0405

대 WUS-0407

1. 대호 1 항, 전선국가에 대한 90 년도 지원액이 당초보다 1,500 만불 증액된바, 회의 주최측에 표제 회의 자료를 수정 통보코저 하니, 동 증액분을 연호별첨 자료 I, II 의 어떤 항목에 어떻게 할당하여야 할것인지 지급 회시 바람.

2. 아울러, 회의 주최측은 연호 별첨자료 II 의 전선 3 개국 지원분중 미 할당분을 조속 할당토록 요청하고 있는바, 가능한 경우 동 할당액도 통보 바람.

(대사 박동진-국장)

91.6.30 일반

예고문에 의거 일반문서로 재분류 19 91 .6 .30 서명

미주국   장관   차관   1차보   2차보

PAGE 1

91.02.02   06:59

외신 2과 통제관 BT

0026

발 신 전 보

WUS-0408   910201 1834 DP

번   호 : _____   종별 : _____

수   신 : 주   미   대사.총영사

발   신 : 장   관   (미북)

제   목 : 차관 방미

연 : WUS-0357

대 : USW-0536

1. 대호 관련 McCormack 차관 대신 동 차관 후임으로 내정된 Zoellick 자문관 면담을 2.5(화) 오후에 신청 바라며, ~~잠동천 실장이 수행안에서 누락~~ *Wolfowitz 국방차관 면담을 추진하되 어려운 경우* ~~되었으니 대호 2항 구방부~~ Rowen 차관보(Ford 부차관보 배석) 면담을 *취소* 바람.

2. 당초 2.6. 오찬 간담회는 아측이 주로 중동정세 청취에 중점을 두고자 한 바, 이점을 감안 참석자 등을 귀관에서 적의 조치 바람.

3. 대호 3항 학계인사 면담 추진은 하지 말기 바람.

4. 대호 4항 Rosenfeld 논설주간 오찬 면담이 아직 확정되지 않았을 경우 귀지 도착후 결정하는 것이 좋겠음. NYT 인사 면담은 불필요함.   끝.

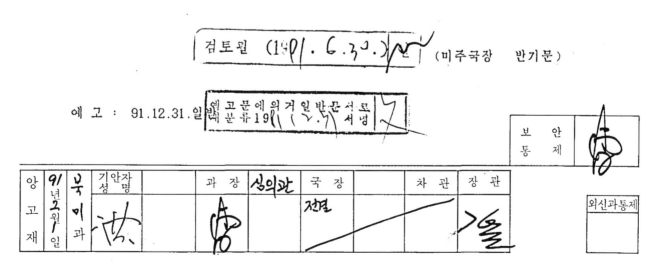

검토필 (1991. 6. 30.)   (미주국장   반기문)

예고 : 91.12.31.일   예고문에 의거 일반문서로
재분류 19   서명

0027

발 신 전 보

WAK-0012   910201 1834   DP

번   호 : _____   종별 : _____

수   신 : 주 앵커리지 ~~대사~~ 총영사

발   신 : 장 관   (미북)

제   목 : 차관 경유

　　　　2.5(화) 워싱턴 개최 제4차 걸프 사태 재정지원 공여국 조정위 회의 참석을 위해
유종하 외무차관을 단장으로 한 아래 정부대표단 일행이 2.2(토) 23:35 KE-026편
귀지 도착 2.3(일) 00:35 뉴욕향발 예정이며, 귀로에 2.8(금) 16:50 KE-025편
귀지 도착, 17:50 서울향발 예정인 바 참고 바람.

　　　　ㅇ 단 원 : ~~.................................~~
　　　　　　　　　　이정보 재무부 경제협력국장
　　　　　　　　　　이운재 기획원 예산실 예산총괄 과장
　　　　　　　　　　송민순 외무부 미주국 안보과장
　　　　　　　　　　남관표 외무차관 비서관

검토필 (1991. 6. 7.) (미주국장 반 기 분)

예 고 : 91.12.31. 일반

예고문에 의거 일반문서로
재분류 19 12.7 서명

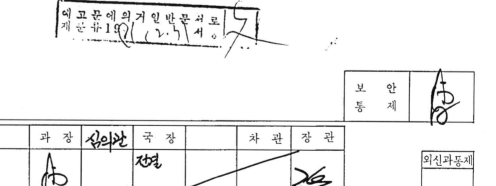

기 안 용 지

분류기호 문서번호	미북 0160-	(전화 : 720-4648)	시 행 상 특별취급	
보존기간	영구. 준영구 10. 5. 3. 1.	차 관		장 관
수 신 처 보존기간				
시행일자	1991.2.1.			문 서 통 제
보조기관	국 장	협조기관		
기안책임자				발 송 인
경수참 유신조	내부결재	발신명의		

제 목   제4차 재정지원 공여국 조정위원회 참석 대표를 위한 훈령

1991.2.5(화) 미국 워싱톤에서 개최 예정인 제4차 걸프사태

재정지원 공여국 조정위원회 회의에 참석하는 아국 수석대표에 대한

훈령을 별첨과 같이 건의하오니 재가하여 주시기 바랍니다.

일반문서로 재분류(19 . 12. 5.)

첨 부 : 훈령(안) 1부. 끝.

예 고 : 91.12.31.일반

검 토 필 (19 . 6. 30.)

0029

第4次 財政支援 供與國 調整委 會議 參席 代表團을 위한 訓令

1991. 2.

外　務　部

0030

第4次 財政支援 供與國 調整委員會 參席 代表團을 위한 訓令

財政支援 供與國 第4次 調整委 會議(2.5) 및 美側과의 接觸時 我側은 아래 基本方針에 따라 對應함.

基本 方針

1. 多國籍軍 支援 및 周邊國 經濟支援을 위한 我側의 寄與額 5億弗(90年度 約束額 220百万弗, 今番 追加支援 280百万弗)은 우리의 財政 能力上 提供 可能한 最大의 金額임.

   - 더 이상의 支援은 우리 財政 및 經濟 事情上 不可能한 實情임.

   - 我側의 現在까지의 寄與額은 上記한 바와 같이 計 5億弗로 認定되어야 함.

   - 周邊國 支援에 관하여는 昨年度 約束額(1億弗)의 相當 部分이 尚今도 執行되지 않고 있음을 說明함.(配定 및 執行內譯 說明)

2. 我國의 軍 醫療支援團 旣 派遣 및 軍 輸送團 派遣 計劃이 我國의 積極的인 寄與로 認定되어야 함.

-1-

0031

3. 我側이 더 이상의 支援을 할수 없는 理由로 아래와 같은 事項을 적의 强調함.

(1) 美國은 我國에 대한 追加支援 要請의 根據로 日本과 我國과의 GNP 對比를 提示하였는 바, 우리의 分擔水準을 日本과의 단순한 GNP 對比로 計算함은 적절치 않음.

(2) 日本은 막대한 經常收支 黑字(90年度 418億弗)를 示現하고 있는데 반해 韓國은 相當한 赤字를 示現하고 있음.(1990年度 1-11月까지 25億弗)

(3) 韓國은 駐韓 美軍駐屯 經費를 支援하고 있으며 防衛費 直接 負擔金이 每年 상당 규모로 增加하고 있음.
   - 1990年度 7千万弗
   - 1991년도 1億 5千万弗

(4) 韓國은 南.北韓 分斷으로 自體 安保에 막대한 經費(全體 豫算의 30%)를 使用하고 있으며, 美國의 同盟國中 GNP 對比 國防 豫算 比率이 가장 높은 國家임.

(5) 韓國은 財政, 物資支援 이외에 醫療支援團과 軍 輸送團을 別途로 派遣 하고 있음.

-2-

0032

(6) 1.31 現在 우리의 貿易赤字는 通關 基準 17億弗에 달하고 있고 앞으로의

展望도 매우 어두운 바, 輸出 信用狀 來渡額은 작년 同期 對比 0.1%

增加에 머물고 있는 반면 輸入 免狀 發給額은 66.2%나 增加하여 國際收支

赤字가 危險 수위에 올라 있음. 또한 原油價 上昇 等으로 인해 物價가

昂騰하고 있고 스태그플레이션이 深化되는 등 우리 經濟는 극심한

어려움을 겪고 있음.

(7) 日本은 純 對外資産을 2,932億弗이나 保有하고 있는 純 債權國인데 반하여

우리는 아직도 294億弗의 外債를 갖고 있는 純 債務國임.

(8) 日本이나 獨逸과 같은 先進國과 아직도 開發 途上에 있는 우리를 단순

比較하는 것은 意味가 없음.

(9) 我側은 今番 걸프 戰爭으로 인하여 建設工事 未收金(15億弗), 建設裝備,

資材 損失, 工事 中斷으로 인한 損害 等 約 50億弗의 被害를 보고 있으며,

걸프 地域 我國 勤勞者(1,360名) 撤收 費用도 國庫로 負擔 했음.

(10) 今年에 經濟 狀況이 점차 惡化되는 가운데 地方自治制 選擧를 實施하는

等 國內 經濟.政治 狀況은 더욱 어려워질 展望임. 따라서 經濟危機 마저

招來될 可能性을 排除할 수 없음.

- 3 -

(11) 最近 韓.蘇間에 妥結된 經協 30億弗은 長期 低利의 財政的 借款이나

政府財政 支出이 아니며, 商業 베이스 銀行借款 10億弗과 향후 3年間에

걸친 原料 및 消費財 輸出用 轉貸借款 15億弗 그리고 資本財 輸出用

延拂 輸出 5億弗로 되어 있음.

- 특히 銀行借款 10億弗은 韓國産業銀行을 主幹事 銀行으로 하는 銀行

借款團과 蘇聯 對外 經濟 銀行間의 借款 協定에 의한 것임.

4.) 追加支援 280百万弗의 使用 用途와 內譯은 韓 美 當局間 協議를 통해서 定하되

我側의 現金支援은 최소한으로 줄이도록 노력함.

5. 今番 會議 및 美側과의 接觸에서 上記 立場을 强力히 說明하여 追加負擔이

어렵다는 事實을 理解시키도록 最善을 다함.

- 美側의 反應 및 眞意 把握

- 더 以上의 要求가 있을시 歸國後 政府에 報告하겠다는 線에서 對處

- 끝 -

-4-

Presentation
by
Vice Foreign Minister Yoo Chong Ha
at
The Fourth Meeting of

The Gulf Crisis Financial Coordination Group

February 5, 1991

0035

Thank you, Mr. Chairman, for giving me the floor.

Let me, first of all, extend my sincere appreciation to the United States government for hosting the Fourth Meeting of the Gulf Crisis Financial Coordination Group.

I would also like to pay my respects to all the delegates present here for their devoted efforts to provide the front-line states with effective and continued support to make up for their severe economic losses caused by the war against Iraq. I am convinced that the determined efforts of Chairmen Mulford and Kimmitt and other delegates will help bring an early resolution to the Gulf Crisis.

Before going into the detailed status of our support to the front-line states, I would like to briefly explain the Korean government's decision to provide additional contribution to the multinational forces led by the United States.

The Korean government has decided to make an additional contribution of 280 million U.S. dollars to the multinational forces now facing an enormous burden of war expenditures and consequent fiscal needs. This brings the total amount of contribution from Korea to 500 million U.S. dollars.

Out of the additional commitment of 280 million U.S. dollars, $110 million will be appropriated for cash contribution and transportation service. The remaining $170 million will be disbursed in the form of military equipment and supplies while the details have yet to be decided in consultation with the governments of the United States and other countries concerned.

Aside from the afore-mentioned additional commitment, the Korean government has decided in principle to dispatch five C-130 military transport aircraft. As soon as necessary procedures are completed, the aircraft, along with 150 members of support personnel, will join the multinational forces to help air transportation.

All of the 25 million U.S. dollars which had already been earmarked for supporting the multinational forces during 1991 will also be paid for transportation service.

0037

Chairman Mulford, Chairman Kimmitt and Distinguished Delegates,

From October 28 to November 7 last year, I visited Egypt, Jordan and Syria which were directly suffering from the economic sanctions against Iraq. During my visit to these countries, I was deeply impressed by their determined efforts to overcome tremendous economic losses in order to restore peace and order in the Middle East. Let me take this opportunity to reiterate the position of the Republic of Korea that we will continue to stand firmly on their side and do our best to make their efforts rewarding.

Let me now brief you on the disbursement status of our financial support to the front-line states.

In view of the urgent need for increased support to the front-line states, Korea diverted 15 million U.S. dollars from military supplies for the multinational forces to support-in-kind for the front-line states. This brings the total financial support for the front-line states in 1990 to 115 million U.S. dollars. This, of course, is in addition to the 25 million dollars earmarked for 1991 which will be disbursed soon.

0038

Out of the 40 million U.S. Dollars from the Economic Development Cooperation Fund(EDCF), we decided to allocate $15 million to Turkey, another $15 million to Egypt, and the remaining $10 million to Jordan.

With regard to an official request late last year from Jordan to provide financial support in constructing a waste water treatment plant in the city of Amman, a feasibility study for the project is now in progress. Based on the results of the study, we expect that we will be able to make a decision by March.

Concerning our support to Egypt and Turkey, we are also going to select appropriate projects and begin actual disbursement at an early date.

In view of the fact that the economic damage done to the front-line states has been growing at an increasingly rapid rate since the outbreak of war, the Korean government will do its best to expedite the disbursement of the EDCF loans by positively accommodating the requests of the recepient countries regarding the terms and conditions of the loans.

0039

Out of the 39 million U.S. dollars committed to support-in-kind including daily necessities for the front-line states, we have disbursed 9 million U.S. dollars so for. We are trying to complete the selection of support items as soon as possible and disburse the remaining $30 million by the end of next month.

Late last year, the Korean government contributed 500 thousand U.S. dollars to the International Organization on Migration(I.O.M.) to help the refugee transportation. We also contributed 30 thousand U.S. dollars to the UNESCO-led special education campaign fund for front-line states children, and another $30 thousand to the International Committee of the Red Cross. Thus Korea's total contribution to international organizations is 560 thousand U.S. dollars.

It is our sincere hope that our contribution will help the front-line states recover their thar economic losses.

Let me conclude by reiterating the earnest wishes of the government and people of the Republic of Korea that the determined efforts of all the peace-loving countries of the world will soon bear fruit in bringing an early resolution to the war in the Gulf.

Thank you, Mr. Chairman.

0041

보 도 자 료

외 무 부

제 91 - 41 호   문의전화 : 720 - 2408~10   보도일시 :   .   .   .   .   :   시

제 목 :   第4次 걸프 事態 財政支援 供與國 調整委 會議 政府 代表團 派遣

ο 政府는 90.2.5(火) 워싱턴에서 開催될 豫定인 第4次 걸프 事態 財政 支援
  供與國 調整委 會議에 柳宗夏 外務 次官을 團長으로하고 經濟企劃院 外務部
  및 財務部 關係官으로 構成된 代表團을 派遣키로 決定하였음.

ο 同 會議는 지난 8月 걸프 事態 勃發 以後 對이라크 經濟制裁 措置와 또한
  지난 1.17. 걸프 戰爭 勃發로 막심한 經濟的 被害를 입고 있는 소위 前線
  國家들에 대한 經濟支援을 효율적으로 執行키 위한 會議로서 美, 日本, 獨逸,
  프랑스, 이태리, 韓國, 사우디, 濠洲等 15個 國家가 參加하고 있음.

ο 우리 代表團은 1.30. 發表된 總 2億8千万弗 相當의 多國籍軍에 대한 追加 支援
  內容을 同 會議에서 發表하고, 우리나라가 現在의 經濟的 어려움에도 불구하고
  UN 決議의 早速한 實現을 통해 中東地域 平和 回復을 위한 國際的 努力에 적극
  同參하기 위해 追加 支援을 決定하였음을 强調하게 될 것이며 지난해 支援키로
  發表한 周邊國 經濟支援額의 執行 結果 및 向後 計劃에 관해서도 밝힐 豫定임.

0042

o 또한 同 代表團은 美 行政府內 主要人士들과의 面談을 통해 追加 支援額의

支援 方法을 協議할 豫定임.　　　- 끝 -

0043

第4次 걸프事態 財政支援 供與國 調整委 會議 參席

代表團 會議

1. 日 時 : 1991. 2. 1 (金) 15:00

2. 場 所 : 外務次官室 (1廳舍 804號)

3. 參席者

 (代表團)

 外務次官

 김동진 國防部 政策企劃室長

 이정보 財務部 經濟協力局長

 이윤재 經企院 豫算室 豫算總括課長

 송민순 外務部 美洲局 安保課長

 남관표 外務次官 秘書官

 (陪 席)

 반기문 外務部 美洲局長

 홍석규 外務部 北美課 書記官

0044

1. 2.1 (金)
   16:00 대통단 송환
   외무차관실   795-6208
                        566-8845

2. 國會 인사, 예산 관련자료 .

3. 경비. 리빈等 — copy

4. 전문
   1) 2.4. 국방성차관 Wolfowitz
       or 부장관 Atwood
      관련씨, 1.9 영부터보면 회의기 (國務)
                                (金曜)

   2) 국무.국방. 백악관 브리핑씨
      — 미국 비기, 기회(오늘) 社에상세히
      — 우리의 제공에대한 國中.수정.추가
        제의기능씨 — 대응 명확(회의관련)

   3) ② W.P or NYT 인터뷰
      — Oberdorfer 관련 #검토.

걸프사태 재정지원 공여국 조정위원회 회의, 1990-91. 전6권 (V.3 제4차. Washington D.C., 1991.2.5) 299

관리 번호	91- 255

외 무 부

종 별 : 지급

번 호 : UNW-0254

일 시 : 91 0201 1200

수 신 : 장관 (국연, 미북)

발 신 : 주 유엔 대사

제 목 : 차관 방미

대: WUN-0195

1. 대호 PICKERING 미대사와의 면담을 2.7.(목) 13:15 오찬 (장소는 현재 물색중)으로 주선하였음.

2. 미측에서는 WATSON 대사의 부득이한 사전 약속으로 ROBERT GREY 공사가 RUSSEL 아시아 담당관과 함께 배석예정임.

3. 본직은 2.7.(목) 19:00 관저에서 차관일행을 위한 만찬을 개최 위계임. 끝

(대사 현홍주-차관)

예고:91.12.31. 일반

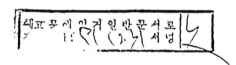

검토필 (1991. 6. 30.)

예고문에 의거 일반문서로 재분류 ( ). 서명

국기국   차관   미주국

PAGE 1

외 무 부

종 별 : 지 급

번 호 : USW-0546 　　　　　　　　일 시 : 91 0201 1446

수 신 : 장관(미북)

발 신 : 주 미 대사

제 목 : 차관 방미

대:WUS-1408

1. WOLFOWITZ 차관과의 면담이 2.4.14:00 로 주선됨 (ROWEN 차관보 및 FORD 부차관보 배석)

2. ROSENFELD 논설부주간 오찬은 이미 동인의 수락을 받아놓은 상태임.

3. ZOELLICK 자문관에 대한 면담 신청함.

4. 2.6. 오찬에는 대호 2 항에 의거 백악관 PAAL 보좌관 초청하였으며, MACK 중근동 부차관보가 참석치 못하게됨에 따라 EDWARD HALL 이란. 이락과장을 초청함.

5. 이외에 2.4. 대표단을 위한 손공사 주최 만찬, 2.5. 주미특파원단 만찬을 주선중임.

6. ROSENFELD 부주간 이력서 별도 팩스 송부함(USW(F)-0406)

(대사 박동진- 국장)

예고:91.12.31. 일반

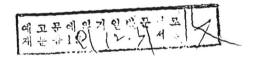

Stephen Rosenfeld 이력서

o 현   직 : W.P.지 논설 부주간

o 생년월일 : 1932. 7. 26.

o 학   력 :

- 1953.   하바드대 학사

- 1959.   콜롬비아대 석사

o 경   력 :

- 1959.   W.P. 입사

- 1964.   모스크바 주재 특파원

- 1966.   논설위원

- 1982.   논설 부주간

o 저   서 :

- 1967.   Return from Red Square

- 1977.   The Time of their Dying

o 특기사항 :

- 90. 4. 방한시 최호중 외무, 이홍구 특보, 김종휘 수석,
      김종인 수석, 김경원 박사등 면담

0048

		분류번호	보존기간

발 신 전 보

번 호 : <u>WUS-0425   910202 1540 CG</u>   종별: 지급

WUN -0219   WNY -0171

수 신 : <u>주　　　미　　대사 총영사</u>(사본 : 주UN대사 . 주뉴욕총영사)

발 신 : <u>장 관 　(미북)</u>

제 목 : <u>차관 방미</u>

　　　　　　　연 : WUS- 408

　　　　　　　대 : USW-0546

　1. 대호 2항 2.4(월) 12:30 Rosenfeld 논설 부주간과의 오찬 면담은
귀지 체류 후반부중 Office Call 또는 숙소에서의 면담형식 등으로 변경 바람.

　2. 차관 일행은 2.3(일) 11:15 JFK 도착 직후 LaGuardia 공항으로
이동, 13:00발 TV 1461편 뉴욕출발, 14:10 워싱턴 National 공항도착 예정임.

　　　　　　　　　　　　　　　　　　　　　　　　　　끝.

　　　　　　　　　　　　　　　　　　　　(미주국장 반기문)

예 고 : 91.12.31.일반　검토필 (1 91. 6. 30.)

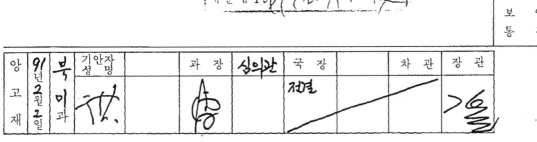

예고문에 의거 일반문서로
재분류 1991 (. .)

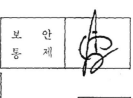

		보 안 통 제	

앙 고 재	91 년 2 월 2 일	북 미 과	기안자 성 명		과 장	심의관	국 장 전결		차 관	장 관		외신과통제

0049

발 신 전 보

번   호 : WUS-0418   910202 1225 CG   종별 : _____

수   신 : 주   미   대사 초연사

발   신 : 장   관   (미북)

제   목 : 제4차 걸프사태 재정지원 공여국 조정위 회의

연 : WUS-0407

대 : USW-550

1. 연호 증액후 확정된 총 9,000만불의 90년도 주변국 국별 할당 내역은 다음과 같음.

- 이집트 (EDCF 1,500만불, 현물 1,500만불, 총 3,000만불)
- 터 키 (EDCF 1,500만불, 현물 500만불, 총 2,000만불)
- 요르단 (EDCF 1,000만불, 현물 500만불, 총 1,500만불)
- 방글라데쉬 (쌀 500만불, 총 500만불)
- 시리아 (현물 1,000만불, 총 1,000만불)
- 모로코 (현물 200만불, 총 200만불)
- 기 타 (I.O.M 50만불, ~~행정비 50만불, 현물 예비 200만불~~, 쌀 예비 500만불등 계 800만불) ㉨

2. 대호 2항 미할당분은 91년도분 2,500만불이며, 상급 상세지원 대상국 및 방법이 미정임. 또한 재원 확보도 91년도 예산에는 3,000만불만이 계상되어 있으며 잔여 2,000만불 확보 방법 또한 미정임을 참고 바람. 끝.

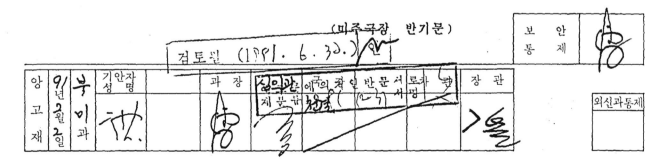

(미주국장 반기문)

검토필 (1991. 6. 30.)

0050

외 무 부

종   별 : 지 급

번   호 : USW-0628   일   시 : 91 0205 2353

수   신 : 장관(미북,중근동)

발   신 : 차 관 (주미대사 경유)

제   목 : 걸프사태 재정공여국 조정위 제 4차 회의

표제회의는 예정대로 2.5(화) 10:00-13:00 간 재무부 회의실에서 28 개국(3 차회의 참석국에 호주, 놀웨이, 아이스랜드 추가)및 EC, GCC, IMF, IBRD 대표 참석하에 MULFORD 재무차관과 KIMMITT 국무차관 공동 주재로 개최되었음. 아측은 소직이 이정보 국장, 최영진 참사관, 허노중 재무관, 이윤재 과장을 대동 참석한바, 요지 하기 보고함.

1. 개회벽두 KIMMITT 차관은 하기 내용의 발언을 하였음.

가. 이락에 대해서는 정치, 경제및 군사적 차원에서의 종합적 대응이 필요한바, 금번 걸프만 전쟁은 이락의 쿠웨이트로 부터의 철수라는 목적을 달성하기 위한것이지 이락 자체의 파괴를 목적으로 하고있는것이 아니라는것을 강조하고자함. 이러한 고려때문에 군사시설만을 공격 목표로 삼고 있음.

나. 오늘 회의 참석국가중 18 개국이 연합국에 참전하고 있고, 군사적 동맹은 계속 결속이 강해지고 있으며, 경제적 차원의 결속을 다지기 위한 데 오늘 회의의 주요 목적이 있음.

다. 요르단의 경우 요르단의 정치적 성향에 대해서 실망을 금할수 없으나, 요르단이 경제 봉쇄에는 계속 참여하고 있기 때문에 요르단에 대한 재정 지원을 계속할 필요가 있다는것이 미국의 입장임.

라. 전선국가 이외에 걸프 사태로 피해를 입고 있는 국가로서 동구권 국가들에 대한 관심을 기울이지 않을수 없음.

KIMMIT 차관은 대표단과 인사하는도중 소직에게 와서 어제 자신의 사무실을방문하여주어 감사하다고 말하였을뿐 작일 사무실에서는 금일 회의전 대화를 계속하자고 하였으나, 그이상의 대화를 추구하지 않았음.

2. 이어서 IMF, IBRD 의 전선 3 개국 경제상황 및 피해액에 관한 설명이 있었음.

미주국   장관   중아국   정와대   안기부

PAGE 1   91.02.06   16:52

3. MULFORD 차관은 별첨 I 도표와관련, 현재까지 전선국가에 대한 원조 약속이 110 억불, 원조 이행액이 40 억불로서 미 이행분이 70 억불이나 되어 이에 대한 조속한 시행이 요청된다고 언급하고, 터키의 경우 30 억불, 요르단의 경우 35 억불 총 65 억불이 부족한 상태이고 미할당분 26 억불이 이들국가에 할당된다고 할지라도 39 억불이 부족한 상태이기 때문에 오늘 회의에서는 조속한 원조 이행, 및 미할당금액의 할당 및 추가 약속등 3 가지 문제에 중점을 두어 진행하자고 하면서, 사우디, 쿠웨이트, UAE, EC 불란서, 독일, 일본 및 한국을 특히 지적하여 발언을 요청함.

4. 이에 대해, 소직은 한국 입장을 아래와같이 설명함.

가. 한국은 금번 회의 참석 국가중 유일한 비산유 개발 도상국가로서, 한국은 재정 지원국가 그룹의 일원으로 걸프 사태 해결에 기여하게 된것을 기쁘게 생각함.

나. 도표에 한국의 총기여액이 100 백만불로 되어 있으나 115 백만불로 수정되어야 하는바, 이는 이집트 등 일부 국가가 군수물자 대신 생필품 현물지원을요청하여 15 백만불이 재정지원에 추가 되었기 때문임.

다. 재정 지원 총 115 백만불중 95 백만불은 이미 한국 국회에서 예산조치가 끝났기 때문에 원조를 시행하는데 아무런 문제가 없게 되었음.

라. 약속금액의 조속한 집행을 위하여 본인이 작년 11 월 한국 조사단을 이끌고 이집트, 요르단, 터키, 시리아를 방문하여, 이들 국가들과 구체적인 원조 필요 분야에 대해 협의를 시작한바 있으므로, 이에 따라 대부분의 집행이 금년 1/4 분기중 가능할것으로 예견됨.

마. 또한 걸프 사태로 피해를 입고 있는 동구권 국가중 헝가리, 폴랜드, 루마니아 및 불가리아에 대하여는 한국이 별도의 광범위한 경제 협력 사업을 시행하고 있음을 밝히고자 함.

바. 비재정분야 군사지원에 있어서는 지난주 한국이 280 백만불의 추가 군사지원을 약속하여 총원조액이 500 백만불에 달하게 되었으며, 그외에 150 여명의 의료단을 사우디에 기 파견하였고, 5 대의 C-130 군수송기 지원이 원칙 결정되었음.

5. 원조 집계의 언론 공개와 관련, 상세내역은 계속 대외비로 하고 별첨 도표 II (원조 약속 총액 141 억불, 전선 3 개국 110 억불, 기타국 31 억불)및 현재까지의 집행액 72.8 억불의 대략적 내역만 미측에서 언론에 발표키로 하였음.

6. 차기 회의는 룩셈브르크 대표 (EC 의장국)의 제안을 받아들여 유럽에서 하기로 하고 시기는 3 월 전반기로 잠정 결정됨.

PAGE 2

0052

첨부:1.USW(F)-0462

2.USW(F)-0463

(차관-장관)

예고:1991.12.31 까지

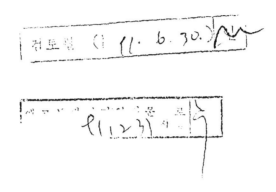

별첨 II

TABLE A

GULF CRISIS FINANCIAL ASSISTANCE *
($ Billions -- as of 2/5/91)

Donor/Creditor	Commitments
GULF STATES	9.3
EUROPEAN COMMUNITY	2.3
JAPAN	2.1
OTHER	0.4
TOTAL	**14.1**

* Includes all commitments to date for extraordinary economic assistance in 1990 and 1991. Does not include contributions to the multinational force, existing bilateral assistance, or funds made available by the IMF and World Bank.

TABLE B

GULF CRISIS FINANCIAL ASSISTANCE *

($ Billions – as of 2/5/91)

Donor/Creditor	Total Commitments	1990–91 Commitments		Other States
		Egypt/Turkey/Jordan	Unallocated	
GULF STATES	9.3	6.1	0.2	3.0
EUROPEAN COMMUNITY	2.3	2.0	0.2	0.1
JAPAN	2.1	2.0	0.1	0.0
OTHER	0.4	0.2	0.2	0.0
TOTAL	14.1	10.3	0.7	3.1

* Includes all commitments to date for extraordinary economic assistance in 1990 and 1991.
Does not include contributions to the multinational force, existing bilateral
assistance, or funds made available by the IMF and World Bank.

0055

TABLE C

GULF CRISIS FINANCIAL ASSISTANCE *

($ Billions – as of 2/5/91)

Donor/Creditor	Commitments	Disbursements
GULF STATES	9.3	5.4
EUROPEAN COMMUNITY	2.3	~~0.5~~ 0.68
JAPAN	2.1	0.4
OTHER	0.4	0.1
TOTAL	14.1	6.4 / 9.9

* Includes all commitments to date for extraordinary economic assistance in 1990 and 1991. Does not include contributions to the multinational force, existing bilateral assistance, or funds made available by the IMF and World Bank.

발신: USW (주) - 0462
수번: 2424
발신: 차관 (국어제+청유)
제목: USW   첨부(3매)

GULF CRISIS FINANCIAL COORDINATION GROUP

February 5, 1991

AGENDA

I.   Introduction by Chair

II.   Political Overview

III. Presentation by IMF and World Bank

    A.   IMF/World Bank Responses to Gulf Crisis

    B.   Economic Developments in and Status of Discussions with
       Egypt, Turkey, and Jordan

IV.   Status of Commitments and Disbursements

    A.   Report of Working Committee on Commitments and
       Disbursements

    B.   Prospects for Acceleration of Disbursements

    C.   Additional Commitments for 1991

V.   Next Steps

0462-1

(Millions of U.S. Dollars)

Balance of Payments

	Grants	In Kind	Loans	Project Financing	Co-Financing	Unspecified	TOTAL
GCC STATES							
Saudi Arabia 1/	1075	1420	100	1050	0	2703	6348
Kuwait	1000	1160		500		188	2848
UAE	75	10	100	550		1765	2500
		250				750	1000
EC	662	6	111	0	7	1397	2183
EC Budget	78					682	760
Bilateral:	584	6	111	0	7	715	1423
Belgium						33	33
Denmark	21					9	30
France						200	200
Germany	414		13			468	895
Ireland						6	6
Italy	88	6	62				150
Luxembourg	4						4
Netherlands	56				7		63
Portugal	1						1
Spain			36				36
U.K.						5	5
OTHER EUROPE/AUSTRALIA							
Australia	45	1	0	0	0	179	225
Austria		1				13	14
Finland						11	11
Iceland						11	11
Norway						3	3
Sweden						32	32
Switzerland						109	109
JAPAN 2/	90	1	648	194	157	1026	2116
CANADA	66						66
KOREA		60	23				83
TOTAL	1938	1488	882	1244	164	5305	11021

* Does not include contributions to multinational force. Totals may not equal sum of components due to rounding.

Based on data submitted to the Coordinating Group. Includes assistance to Egypt, Turkey, and Jordan.

1/ Project financing for Egypt is on grant basis. 2/ Balance of payments loans are 30 years at 1% interest. Project financing is loans, terms not yet specified.

GULF CRISIS FINANCIAL ASSISTANCE *
1990-91 COMMITMENTS AND DISBURSEMENTS

(Millions of U.S. Dollars)

	TOTAL			Egypt			Turkey			Jordan			Unallocated 1/			Other States			GRAND TOTAL		
	Commit.	Disb. to Date	Future Disb.	Commit.	Disb. to Date	Future Disb.	Commit.	Disb. to Date	Future Disb.	Commit.	Disb. to Date	Future Disb.	Commit.	Disb. to Date	Future Disb.	Commit.	Disb. to Date	Future Disb.	Commit.	Disb. to Date	Future Disb.
GCC STATES 2/	6348	3012	3336	3123	2263	960	2060	682	1378	0	0	0	1165	67	1098	2950	2129	821	9298	5141	4157
Saudi Arabia 3/	2848	1570	1278	1688	1288	400	1160	282	878	0	0	0	0	0	0	1503	1103	400	4351	2673	1678
Kuwait	2500	855	1645	1015	555	460	550	300	250	0	0	0	935	0	935	1184	763	421	3634	1618	2066
UAE 3/	1000	587	413	420	420	0	350	100	250	0	0	0	230	67	163	263	263	0	1263	850	413
EC	2184	515	1669	1125	194	931	431	87	344	452	168	283	176	66	110	108	0	108	2292	515	1777
EC Budget	760	78	682	254	16	239	240	2	239	214	10	204	51	51	0	0	0	0	760	78	682
Bilateral:	1424	437	987	871	178	693	191	85	106	237	159	79	125	15	110	108	0	108	1532	437	1095
Belgium	33	7	26	16	6	10	7	0	7	10	1	3	0	0	6	0	0	0	33	7	26
Denmark	30	4	26	20	0	20	0	0	0	0	0	0	10	4	6	0	0	0	30	4	26
France 4/	200	0	200	50	0	50	30	0	30	20	0	20	100	0	100	30	0	30	230	0	230
Germany	895	362	533	673	154	519	74	74	0	148	134	14	0	0	0	69	0	69	964	362	602
Iceland	6	0	6	6	0	6	0	0	0	0	0	0	0	0	0	0	0	0	6	0	6
Italy 5/	150	4	146	75	0	74	49	0	49	27	4	23	0	0	0	9	0	9	159	4	155
Luxembourg	4	1	3	1	0	1	1	0	1	1	1	0	1	0	1	0	0	0	4	1	3
Netherlands	63	45	18	18	18	0	18	7	11	18	11	7	0	0	0	0	0	0	63	45	18
Portugal	1	0	1	0	0	0	1	0	1	0	0	0	0	0	0	0	0	0	1	0	1
Spain	36	9	27	12	9	3	5	0	5	14	0	14	5	0	5	0	0	0	36	9	27
U.K.	5	5	0	0	0	0	0	0	0	0	0	0	5	5	0	0	0	0	5	5	0
OTHER EUROPE/AUSTRALIA	225	49	175	13	2	11	9	2	7	37	18	19	165	27	138	21	21	0	246	70	175
Australia	14	3	11	1	0	1	0	0	0	0	0	0	13	3	10	0	0	0	14	3	11
Austria	11	1	10	1	0	0	0	0	0	9	0	9	2	1	1	0	0	0	11	1	10
Finland	11	0	11	0	0	0	0	0	0	0	0	0	11	0	11	0	0	0	11	0	11
Iceland	3	2	1	0	0	0	0	0	0	1	1	0	2	1	1	0	0	0	3	2	1
Norway	32	14	18	2	2	0	5	2	3	2	2	0	23	8	15	21	21	0	53	35	18
Sweden	45	21	24	10	2	10	4	0	4	26	16	10	6	5	1	0	0	0	45	21	24
Switzerland	109	9	100	0	0	0	0	0	0	0	0	0	109	9	100	0	0	0	109	9	100
JAPAN 6/	2116	445	1671	444	0	444	320	218	102	266	167	99	1066	60	1028	0	0	0	2116	445	1671
ADA	66	17	49	22	0	22	4	0	4	23	0	23	17	17	0	0	0	0	65	17	49
EA	83	5	78	23	0	23	20	5	15	15	0	15	25	0	25	17	2	15	100	7	93
(a) TOTAL COMMITMENTS	11021	4043	6978	4751	2459	2292	2844	994	1850	793	354	439	2634	237	2397	3096	2152	944	14117	6195	7922
(b) EST. EFFECT OF GULF CRISIS 7/	13580	13580	-	3375	3375	-	5910	5910	-	4295	4295	-									
DIFFERENCE (a minus b)	-2559	-9537	-	1376	-916	-	-3066	-4916	-	-3502	-3941	-									

* Does not include contributions to the multinational force. Totals may not equal sum of components due to rounding. Based on data submitted to the Coordinating Group. 1/ Unallocated among Egypt, Jordan, and Turkey. Includes general humanitarian assistance. 2/ GCC financing for "Other States" is for Syria, Morocco, Lebanon, Somalia, and Djibouti. 3/ Grant oil to Turkey: $1160 million from Saudi Arabia and $250 million from the UAE. 4/ Products for $130 million of grand total were tipped by end-November. Aid to "Other States" is for Morocco. 5/ Italian aid to "Other States" is for Somalia. 6/ All GOJ procedures for $322 million to Egypt completed; awaiting parliamentary approval in Egypt. 7/ IMF/World Bank estimates (oil at $31/barrel) circulated in Group shown for illustrative purposes. Not intended to represent precise figure of impact.

0053

長官님 定例 記者懇談會 準備

(91.2.8. 金, 10:00시)

長官 言及 事項

1. 戰後 秩序 再編에 對備한 中東국가들과의 다각적 協力 强化 방안 (중근동2)

2. 제4차 걸프사태 財政支援 供與國 調整委 會議 참가 결과 (북미2)

3. 연형묵 北韓 총리의 東南亞 3국 방문 評價 (동남아2, 청년2)

4. 韓.中간 實務交涉 현황 (비보도 조건) (동북아2)

5. 韓.蘇간 經協 후속 조치 計劃 (통상2과 회답, 경제국 소관사항도 포함)

6. 독일 대통령 및 外相 방한 계획 (서구)

7. 제10차 韓.英 經濟協議會 개최 계획 (경협, 1)

8. 對 몽고 쌀 特別援助 計劃 (동북아2)

主要 豫想 質疑

1. 제14차 美.北韓 접촉 결과 (북미)

2. 대한항공기 격추사건 眞相 규명을 위한 外交的 措置 계획 (구주)

3. "고르바쵸프" 대통령 訪韓 추진 현황 (동구)
   ("베스메르트니흐" 外相 訪韓 추진 여부 포함)

4. "부쉬" 대통령 訪韓 추진 현황 (북미)

5. 한국군 將星의 군사정전위 代表 임명건 (안보)

6. 이스라엘의 對韓 불만 표시에 대한 立場 (마그렙)

0060

2. 第4次 걸프事態 財政 支援 供與國 調整委 會議 參加結果

0 잘 아시다시피, 政府는 지난 2.5(화) 워싱턴에서 開催된 第4次 걸프事態 財政 支援 供與國 調整委 會議에 柳宗夏 外務次官을 團長으로하여 企劃院, 外務部, 財務部 關係官으로 構成된 政府 代表團을 派遣한 바 있음.

0 同 會議는 지난해 8월 걸프事態 勃發以後, 그리고 지난 1월 17일 걸프戰爭 勃發으로 막심한 經濟的 被害를 입고 있는 所謂 前線國家들에 대한 經濟 支援 問題를 論議하기 위한 네번째 會議로서 今番 會議에서는 美, 英, 프랑스, 日本, 獨逸, 사우디, 쿠웨이트, 韓國等 26개국과 EC, IMF/IBRD 代表가 參席하였으며, 各國 代表들은 前線 國家들에 대한 經濟支援 執行 內譯을 發表하고 아직 執行이 되지않은 支援 金額의 早期 執行 方案等을 論議하였음.

0 我國 首席 代表인 柳 次官은 基調 演說을 통해 지난해 我國의 支援 實績을 소개하면서, 當初 我國이 多國籍軍에 대한 軍需物資 支援費로 提供키로 했던 1,500万弗을 周邊國에 대한 生必品 支援으로 轉換함으로써, 我國의 周邊國 經濟 支援額이 1億 1,500万弗로 增加하였음을 밝히고, 同 支援額에 대한 國會 承認 完了로 조만간 약속분을 이행할 수 있을 것임을 밝혔음.

0061

ㅇ 또한 柳 次官은 지난주 政府가 多國籍軍에 대한 2億8千万弗의 追加支援을
決定하여 韓國 政府의 支援 總額이 5億弗에 달하게 됨을 밝혔으며, 醫療
支援團의 사우디 派遣 事實 및 軍 輸送 支援團의 派遣 原則도 說明하였음.

ㅇ 柳 次官은 今番 會議 參席을 위한 워싱턴 訪問 機會를 利用, Kimmitt
國務部 政務 次官, Rowen 國防部 國際 安保 擔當 次官補, Solomon 國務部
東亞.太 次官補等 美 行政府 主要 人士들과도 面談, 걸프전쟁 관련 우리의
支援 內容과 관련한 兩國間 協議도 하였음을 참고로 말씀드림.

添 附 : 2.5(火) 駐美 特派員 招請 懇談會 要錄 1部. 끝.

0062

<參考 資料>

2.5(火) 駐美 特派員 招請 懇談會 요록

問 : 今番 供與國 調整委 會議에서 美側은 各國에 대하여 戰費 追加支援 또는
周邊國에 대한 追加 援助를 要請하지 않았는지 ?

答 : 걸프 關係 財政支援은 크게 보아서 戰費 支援과 前線國等 周邊國 經濟支援의
두가지인 바, 今番 援助國 調整委는 周邊國 經濟支援 調整을 目的으로 하는
것이며, 會議의 性格上으로도 戰費 追加 支援이 擧論될 성격도 아니며, 주변국에
대한 追加 援助는 議題로 상정되기는 하였으나 어느 國家 代表도 이에 관하여
發言한 바가 없어 特別한 討議없이 그대로 지나갔음.

問 : 今番 供與國 會議에서 次官께서 發表하신 內容은 ?

答 : 我國의 支援 實績을 소개하면서, 當初 我國이 戰費로 제공키로 했던 것을
經濟 援助로 轉換함으로써 我國의 經濟援助 部門 支援金 總額이 增加한 것을
前線國 援助 集計에 반영할 것을 요청하였으며, 同 經濟援助 資金에 대한 국회
承認 完了로 조만간 約束分을 이행할 수 있을 것임을 밝혔음.

問 : 韓國은 昨年度에 2.2億弗을 約束했는데 同 2.2億弗은 實際的으로 어떻게
支給 했는가 ?

0063

答 : 同 2.2億弗中 約 1億弗 相當은 周邊國 援助뿐이며, 同 金額中 대부분에 대하여
國會 承認이 끝난 상태이므로 조만간 執行이 可能할 것임.
軍事 支援 部分中 5,000万弗은 現金으로 美側에 旣 傳達하였으며, 殘餘分은
輸送 支援等의 形態로 이행되고 있음.

問 : 美側에 대한 現金 支援分은 어떠한 형식으로 支拂, 入金되며, 그 支出 與否는
누가 決定하는지 ? (또한 同 支出에 대한 事後 監査는 여하히 하는지 ?)

答 : 各國의 現金 支援은 美 國防部에서 別途로 開設한 特別 口座에 일단 入金됨
今番 걸프戰은 多數 國家의 財政 支援에 의한 戰爭 遂行이라는 역사상 전례가
드문 것이기 때문에, 아직 經費支出 方法, 監査 節次等에 관하여 具體的인
基準이 確立되어 있지 못한 형편이나, 실제적으로는 美 政府가 執行을 責任
지게 될 可能性이 큼.
다만 美 行政府는 同 資金 執行에 있어 議會의 同意를 득하여야 할 것이며,
今番 開催된 供與國 調整委等의 채널을 통하여 關聯國과의 協議도 계속해
나가게 될 것임.

問 : 各國이 今年度에 約束한 支援分은 昨年度에 約束했다가 未 執行할 경우 포함
하는 것인가 ?

答 : 今年度 約束分은 昨年度 約束分과는 別個로 追加되는 것임.

0064

問 : 美側에서 對蘇經協 30億弗과 걸프 事態 關聯 支援 5億弗을 比較하여 追加
　　支援을 要請하지 않았는지 ?

答 : - 對蘇經協 30億弗의 具體 內譯을 正確히 알고 있는 記者분이 계신지 ?
　　　(記者들, 否定的으로 答辯)
　　　韓國 言論에서도 그 內譯을 正確히 파악치 못하는데, 일반 美國 與論이
　　　단순한 數値 比較만 하는 것은 불가피함.
　　　그러나, 對蘇經協 30億弗中 約 15億弗은 事實上 延拂 輸出에 해당하는
　　　것이며 殘餘分도 轉貸 借款임.
　　- 美側이 걸프戰 關聯 追加 支援을 要請한 바는 없음. (今番 2.8億弗 支援도
　　　美側의 要請에 의한 것은 아니었음을 상기시킴)

問 : 蘇聯側에서 對蘇經協에 대해 支拂 義務를 이행하지 않는 경우, 이를 여하히
　　還收할 수 있는가 ?

答 : 蘇聯의 山林資源, 水産資源, 石炭等 鑛物資源을 開發 導入하는 方案等에
　　의하여도 經協資金 回收는 可能할 것이라고 봄.

問 : 蘇聯內 聯邦 政府와 各 共和國 政府間 關係가 不安한 시점에서 불안정한
　　聯邦 政府만을 상대로 借款을 제공함이 적절한 것이지 ?

答 : 借款의 契約 상대방은 은행이지 蘇聯 政府가 아니며, 同 銀行은 현재까지
　　支拂 義務를 履行하지 않은 적이 없다함.

0065

걸프사태 관련 지원업무 추진현황

1. 지원계획

단위 : 만불

국 가	현 금	물 자	EDCF	쌀	기 타	합 계
미 국	5,000				3,000	8,000
이 집 트		1,500	1,500			3,000
터 키		500	1,500			2,000
요 르 단		500	1,000			1,500
시 리 아		1,000				1,000
모 로 코		200				200
I O M	50					50
쌀				1,000		1,000
행 정 비	50					50
예 비 비	200					200
91년도계획	5,000					5,000
	10,300	3,700	4,000	1,000	3,000	22,000

0066

2. 집행현황(주변피해국 일반물자 및 EDCF 자금)

(1) 국별추진현황

가) 이집트(3,000만불)

- 국방부 지원용 물자(700만불)
  - 품목선정을 위한 군수조달참모등 4명의 군수전문가단 방한제의 (90.11.28)
  - 이집트측 제의 긍정검토 회보했으나(11.29) 상금 회신 미접수 (90.12.12.독촉)

- 민수용 물자(800만불)
  - 주민등록전산화 사업비 일부로 전용해 줄것을 거론했으나 아직 정식요청 미접수
  - 동 사업 총소요자금 충당계획등 상세 파악 보고토록 지시(90.12.12)

- EDCF 자금(1,500만불)
  - 이집트측 사업계획서 미접수

나) 터키(2,000만불)

- 민수용 물자(500만불)
  - 터키측, 앰블런스·미니버스·트럭등 23개품목 제시(12.19.접수)
  - 500만불 상당의 대 터키 지원품목 확정, 현재 발송 진행중 (일부품목 기도착, 91.1.22. 물품발주 최종계약)

- EDCF 자금(1,500만불)
  - 터키측, 아국산 상수도용 파이프(Ductile Pipe) 구입에 사용 희망 (90.12.14)
  - 국산 파이프 공급불가 사정상, 다른 사업계획서 제출토록 지시

0067

다) 요르단(1,500만불)

　　o 민수용 물자(500만불)

　　　- 설탕, 미니버스, 각종 생필품 총24개 품목등 제시(90.12.24)

　　　- 1차지원품(설탕, 미니버스)은 91.1.25. 물품발주계약 체결

　　　- 기타품목은 요르단측에서 품목확정후 추후 발송예정

　　o EDCF 자금(1,000만불)

　　　- 폐수처리공장 사업계획서 제시(90.12.11)

　　　- 관계기관(재무부, 수출입은행)검토완료, 정부간 협정체결 준비중

라) 시리아(1,000만불)

　- 시리아 국방장관, 전액 미니버스로 지원희망 서신발송(90.11.21)

　- 아측, 외교경로(주일대사관)을 통해 교섭토록 제의 했으나(90.11.24) 상금 회신 미접수

　- 91.1.26. 주일대사관에 시리아측 입장 타진토록 지시

마) 모로코(200만불)

　- 희망품목 7개제시(방독면, 침투보호의, 텐트등)

　- 200만불 상당의 대 모로코 지원품목확정, 발송 진행중(91.1.14. 계약필)

(2) 물자지원 집행현황(계약체결기준)

　가) 기집행(900만불)

　　　터　키 : 500만불

　　　모로코 : 200만불

　　　요르단 : 200만불

　나) 미집행(2,800만불)

　　　요르단 : 300만불

　　　이집트 : 1,500만불

　　　시리아 : 1,000만불

0068

3. 집행계획

o 미집행 사유는 대상국으로 부터 희망품목 선정이 지연되기 때문임.

o 현 걸프사태로 조속 선정기대하기 어려운 형편이나 관계공관을 통해
  계속 독촉 예정임.

o 특히 미수교국인 시리아와는 외교체널을 통한 협의 모색중

0069

외무차관 방미 결과 보고

(91.2.3-2.8)

┌─────── 방미 목적 ───────┐
│   │
│ - 걸프전쟁 지원 문제에 대한 대미 협의   │
│   │
│ - 걸프사태 재정지원국 조정회의 참석   │
│   │
│ - 유연 가입문제 등 협의   │
│   │
└──────────────────────────┘

91.2.11.

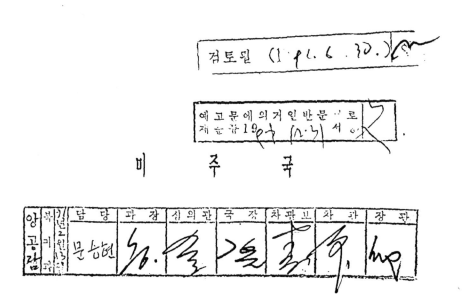

검토필 (1 . 91. 6. 30.)

예고문에 의거 일반문서로
재분류 19   (.   ) 서 명

비   주   국

양공람	복기년2원13과	담 당	과 장	심의관	국 장	차관보	차 관	장 관
		문승현						

0070

- 목 차 -

0071

I. 방미 개요

1. 대표단 구성

ㅇ 단 장 : 유종하 외무부 차관

ㅇ 단 원 :
- 이정보 재무부 경제협력국장
- 이운재 경제기획원 예산실 예산총괄과장
- 송민순 외무부 미주국 안보과장
- 남관표 외무차관 비서관

2. 방미 주요 일정

2.3(일)	10:00	김포 출발
	18:30	주미 대사관 업무보고
	19:00	주미대사 주최 비공식 만찬
2.4(월)	11:00	Bolton 국무부 국제기구 담당 차관보 면담
	14:30	Rowen 국무부 국제안보담당 차관보 면담
	17:00	Kimmitt 국무부 정무차관 면담
	19:00	손명현 공사 주최 만찬(대사관 직원 참석)
2.5(화)	10:00 -13:00	제4차 공여국 조정위 회의 참석
	15:00	Zoellick 국무부 자문관 면담
	19:00	주미 특파원단 만찬

0072

2.6(수)	12:15	오찬 간담회(Solomon 국무부 동아.태 차관보,
		Anderson 국무부 동아.태 부차관보, Paal 백악관
		보좌관, Richardson 국무부 한국과장, Hull 국무부
		이란.이라크 과장 초청)
	15:00	CSIS 브리핑 청취(Abshire 회장, Taylor 수석연구원)
	17:00	뉴욕 향발
	19:00	주유엔대사 주최 만찬
2.7(목)	13:15 -15:00	Pickering 주 유엔 미 대사 오찬 면담
		(Robert Grey 공사, Russel 아시아 담당관 배석)
2.8(금)	13:20	뉴욕 출발
2.9(토)	21:00	김포 도착

3. 주요 면담 인사

- Kimmitt 미 국무부 정무차관
- Zoellick 미 국무부 자문관
- Solomon 미 국무부 동아.태 차관보
- Bolton 미 국무부 국제기구 차관보
- Pickering 주 유엔 미국대사
- Rowen 미 국방부 국제안보 차관보
- Rosenfeld W.P.지 편집 부주필
- Abshire CSIS 회장

0073

II. 주요 협의 내용

1. 아국의 걸프전 지원문제

가. Kimmitt 차관 면담

* 2.4(월) 17:00-17:20(유명환 참사관, 송민순 안보과장, Richardson 한국
  과장, Kartman 보좌관 배석)

(Kimmitt 차관 언급 요지)

o 한국이 기존의 방위 부담에도 불구하고 작년도 지원에 이어 금년에 다시
  자발적으로 지원을 약속한데 대해 사의를 표함.

o 그러나 한국측의 결정 통보와 미측의 추가 지원 요청이 시기적으로 서로
  엇갈렸으며, 미측의 요청 규모에 대해 한국측이 놀라고 있는 것으로 알고
  있으나, 한국의 경제력에 대한 판단에 따라 요청금액을 제시한 것임.

o 한국은 지금까지 미국을 잘 지원해 왔으며, 아직까지 미 의회내에서도
  한국에 대한 비판은 없으나, 미국의 중동 평화 노력에 대해 한국이 실질적
  으로 기여했다는 평가를 받기 위해서는 지금까지 한국이 제시한 금액을
  상회하는 규모의 지원이 필요함.

o (외무차관이 아국의 지원 통보 규모가 현실적으로 가능한 최대금액이며,
  여기에 추가 지원을 시도할시 국내적으로 심각한 문제를 야기시킬 것이라는
  설명에 대해) 미국으로서는 걸프 전비 지원문제로 한국내에서 심각한
  문제가 야기되는 것은 원치 않지만, 미국내에서도 한국에 대한 부정적
  시각이 형성되는 것을 원치않는 만큼, 이러한 사정을 타협적으로 고려하여
  한국이 다국적국 지원금이 아닌 주변국 경제지원 형식으로 추가 지원을
  약속하여 전체 지원금을 확대시킨다면, 미 행정부가 의회에 대해 한국을
  옹호할 수 있는 좋은 정치적 무기(political ammunition)가 될 것임.

0074

o 또한 이러한 추가 지원이 한국의 예산 절차등 기술적 문제가 있을 경우,
  우선 추가 금액만 약속, 발표하고 실제 집행은 시간을 두고 추진해 나갈
  수 있을 것으로 봄.

(외무차관 언급 요지)

o (Kimmitt 차관의 추가 지원 필요성 언급에 대해) 한국은 개전이후 부터
  미국의 가장 가까운 우방의 하나로써 추가 지원을 고려해 왔으며, 각료
  들을 포함한 정부의 고위 인사들이 적극 검토한 결과, 금번 대비 지원
  규모를 결정한 것임.

o 막대한 전쟁 소요 경비에 비추어 볼때, 한국의 지원금이 상대적으로
  크다고 볼 수는 없으나, 아래와 같이 한국이 처한 사정하에서는 최대한의
  금액이며, 이 규모를 상회하는 어떤 금액도 한국내에서 매우 심각한
  정치적.재정적 문제를 야기하지 않고는 추진될 수 없으므로, 미국이
  한국의 지원금 증액을 무리하게 시도하지 않는 것이 절실히 요망됨.

  1) 일본과의 단순 GNP 대비만으로 한국의 지원 능력을 계산하는 것은
     현실적이지 못하며, 무역수지, 대외자산, 정부 재정 상태등을 고려
     해야함.(89년 기준 무역흑자 일본/한국 = 641억불/46억불, 대외
     순자산 일본/한국 = 2.930억불/-31억불등)

  2) 한국은 미국의 동맹국중 가장 높은 GNP 대비 방위비 부담을 안고 있을
     뿐아니라, 한.미 양자간 안보협력을 위한 방위비 분담이 매년 급증
     하고 있음.

  3) 작년말 예산 편성 당시 정치.사회적으로 극히 중요한 추곡 수매가도
     약 3억불 정도의 예산 사정으로 농민의 기대에 부응치 못함으로써
     인구의 15%에 해당하는 농촌 인구로부터 심각한 반발을 야기시켰으며,
     국회에서 야당으로부터 살인적 농정이라는 비난을 받고, 국회가 정회
     되는 사태까지 발생했음.

0075

4) 작년과 금년초의 엄청난 물자상승, 무역 역조, 전반적 경기 침체등으로 경제 위기감이 널리 조성되고 있는 상태임.

5) 국내 정치적으로도 금년에는 지방자치 선거가 있고, 내년도에는 국회의원 선거가 있어 정부가 무리한 지원안을 추진하기 어려운 사정이 있음.

   o 이러한 상황하에서 만약 미측이 상당한 추가 지원 금액을 요구하고 한국 정부가 이를 수용하기 위한 노력을 한다면 각종 비판적 반응이 국내에서 분출하여 국내정치상의 쟁점이 될 것인바, 이러한 비판적 논란은 현재 순조롭게 진행되는 한.미 관계 전반과 한국의 걸프사태 지원 조치에 대하여 극히 유해한(counterproductive) 영향을 미치게 될 것임.

나. Zoellick 자문관 면담

* 2.5(화) 15:00-16:20 국무부(미측 : McAllister 경제차관보, Carter 한국과 경제담당관, 한국측 : 이정보 재무부 국제협력국장, 최영진 참사관, 이운재 경기원 예산 총괄과장, 송민순 안보과장 배석)

(Zoellick 자문관 언급 요지)

o (외무차관의 아국 추가 지원 결정 및 배경 설명에 대해) 한국의 지원 노력에 사의를 표하나, 한편으로는 한국의 걸프전 지원 금액이 미 의회등 으로부터 한국이 적극적인 기여를 했다고 보기에는 부족한 것으로 판단됨.

o 미국은 막대한 군사력을 투입하고 인명 손실을 감수하면서까지 걸프전을 주도하고 있는 상황에서, 한국이 한편으로는 30억불의 대소 경제 원조를 제공하면서 걸프전 지원을 위해서는 현재 약속한 금액만 제공한다면 성의가 부족하다는 것으로 비춰질 것임.

0076

o 특히 조만간 지상전이 개시되면 인명 피해가 늘어날 것이고, 그렇게되면 동맹국과 우방국들의 지원 상황을 더욱 주시하게 될 것인바, 이점들을 감안하여 한국이 적절하게 대처하기를 기대함.

o 물론 한국 정부 지도층이 제반 사정을 감안해서 결정한 사항이지만, 자신이 생각하기로는 일본이 130억불, 독일이 110억불 규모의 지원을 하고 있음을 고려할때, 각종 지원을 포함하여 총 지원 규모를 Billion 단위로 증액시킬 경우 한국이 실질적인 지원을 한다는 평가를 받는데 도움이 될 것으로 생각함.

o 한국은 최근 통상문제 관련 한국에 대한 비판적인 여론도 감안해야 될 것으로 봄.

(외무차관 언급 요지)

o (Zoellick 자문관이 아국의 대소 경협문제를 거론한데 대해) 아국의 최근 대소 경협은 원칙적으로 상업 베이스에서 이루어진 것이며, 정부 재정 지출이 아닌바, 소비재 수출용 전대차관 15억불, 자본재 수출용 연불수출 5억불, Libo 금리에 따른 은행간 차관 10억불로 구성되어 있음. 이자율도 국제적인 상업금리에 수수료를 더한 것이므로 쏘련으로써도 재정적 지원을 받았다고는 보지 않는 것으로 알고 있음. 단지 쏘련의 상환능력 때문에 쏘련이 국제 금융시장에서 기채하는데는 어려움이 있을 것이나 한국은 소련 극동 지역의 원목, 천연가스, 석탄등 반입 가능한 자원을 고려하면 차관 상환에 있어 큰 어려움이 없을 것으로 보고 있음. 또한, 한.소간 협력은 소련의 대북한 군사 원조 억제, 북한의 핵 안전 협정 체결 유도등 정치적으로 긍정적인 영향도 기대됨. (30억불 내역과 조건 설명에 대해 Zoellick 자문관은 미 의회나 여론은 구체적 조건을 이해하려고 하기 보다는 단순히 한국이 소련에 30억불을 원조한 것으로 이해하려고 할 것이며, 그러한 인식을 미 행정부가 시정 하기는 쉽지 않을 것이라고 언급함.)

0077

o 한국의 걸프 사태 해결 지원 노력은 단순히 석유 공급의 안정이라는
  경제적 차원을 넘어 중동 사태의 안정이 가져오는 국제 정치적 효과,
  한.미 동맹관계등을 고려한 조치이며, 가능한 최대한의 지원을 한다는
  점에 대하여 여야를 막론하고 이의가 없음.

o 그러나 적정 지원 규모를 판단하는 데 있어서는 단순한 GNP 대비가 기준이
  될 수 없으며, 각국의 종합적 경제 능력을 예의 검토해야 할 것인바,
  한국은 경상수지 적자, 순 채무국으로서의 위치등 경제적 상황외에도
  일본의 4배에 달하는 GNP 대비 국방부 부담, 4억불에 달하는 대미 방위비
  분담의 급증 추세, 중동 석유 의존도 비교등이 고려된 객관적 기준이
  적용되어야 할 것임.

o 걸프사태 재정 지원국중 한국이 유일하게 비산유국이며 개도국인 바,
  이 점을 미국도 충분히 인식해야 될 것이며, 제반 요건과 한국 자체의
  경제적 사정에 비추어 우리는 한국이 능력에 상응하는 실질적 지원을
  하고 있는 것으로 판단하며, 또 미국이 이 점을 그대로 인정해 주기를
  기대함.

다. Solomon 동아.태 차관보 면담

 * 2.6(수) 12:00-13:30 오찬(배석 : Anderson 부차관보, Paal NSC 동아.태
   담당관, Richardson 한국과장, Hull 중근동 과장, 유명환 참사관, 송민순
   안보과장, 김영목 서기관)

(Solomon 차관보 언급 요지)

o 걸프전 지원 관련한 외무차관과 Kimmitt 정무차관 및 Zoellick 자문관
  과의 면담내용을 들었는 바, 미국은 오랜 동맹국인 한국의 보다 적극적인
  지원을 기대하고 있음.

0078

o 세계에서 가장 높은 경제 성장률을 시현하고 있는 한국 같은 동맹국이
  실질적인 지원을 하지 않을 경우 미 의회가 계속 인내할 것으로 보기
  어려움.

o 한국이 쏘련에 지원한 금액의 ⅓ 정도를 미국에 대하여 지원하는 것은
  적절하다고 생각함. 왜냐하면 한국은 중동에서의 미국의 노력으로 인한
  단순한 수혜자일 뿐아니라 한.미 동맹관계를 생각해야 된다고 봄.
  중동에 대한 지원문제는 미국이 요구하여서가 아니라 한국이 알아서 해야
  할 일이며, 일본이나 독일이 수동적으로 움직이기 때문에 미국의 비판적인
  여론의 화살을 받게 되는 것임을 잘 새겨볼 필요가 있음. 한국은 자신을
  위하여 행동하는 것임.(이하 Kimmitt 차관에 대한 설명 및 Zoellick
  자문관에 대한 설명 반복)

(의무차관 언급 요지)

o (Kimmitt 차관 및 Zoellick 자문관에게 설명한 내용을 전반적으로 재차
  설명하고) 한국은 지금까지 몇억불 단위의 대외 지원을 해 본적이 없을
  만큼 경제적 능력이 없음에도 불구하고 한.미 동맹관계와 Bush 대통령을
  지원해야 한다는 노 대통령의 의지가 작용하여 사실상 능력이 허용하는
  최대한 규모 이상의 금액을 약속한 것임.

o 문제는 한국측이 생각하는 지원 금액의 단위와 미국의 단위 자체가
  다르다는데 놀라고 있으며, 한국의 경제 능력에 대한 양측의 인식에는
  현격한 격차가 있는 것으로 봄.

o 또한 정부 예산 측면에 있어서도 금번 2.8억불 지원 약속분중 1.1억불을
  현금 또는 수송 지원으로 결정한 것은 가용 재원을 총 동원한 것인 바,
  여기에 추가 지원을 한다는 것은 사실상 불가능한 것임. (Paal NSC
  담당관은 Promissory Note 를 발행하는 방안도 검토 가능하지 않겠느냐고
  언급)

라. Rowen 국방부 국제 안보 차관보 면담

* 2.4(월) 14:30 미 국방부(배석 : 김정환 국방무관, 이정보 국장, 유명환 참사관, 송민순 과장, 이운재 과장, Knowles 한국 담당관)

(외무차관 언급 요지)

o 미국이 걸프 사태에 강력히 대처하고 각국이 이를 지원하는 것은 불법 무력 침략에 대해 국제사회가 공동 대처한다는 좋은 고훈이 될 것이며, 아울러 세계 석유 시장의 안정에도 기여할 것인바, 한국은 미국의 노력을 최대한 지원해 나가고 있음.

o 이러한 노력의 일환으로 다국적군 및 전선국 지원을 위해 5억불의 지원과 군 의료단 및 군 수송기 파견을 결정하였는 바, 일본 등 미국의 다른 동맹국 경우와는 달리 과중한 국방비 부담을 지고 있는 한국으로서는 가능한 최대한의 지원 결정을 한 것이며, 한.미 특수 동맹 관계에 대한 깊은 고려에서 그러한 지원 규모가 결정된 것임.

(Rowen 차관보 언급 요지)

o 한국의 여사한 지원에 대해 감사하게 생각하며, 현재 미국이 매우 복잡 하고 중요한 시기에 처해 있는 만큼, 금번 약속한 추가 지원분을 가능한 현금 형태로 지원해 주면 효과적으로 사용할 수 있을 것임.(외무차관은 예산이 허용하는 최대한의 현금 및 수송 지원을 결정한 것이며 나머지는 부득불 군수 물자로 지원코자 함을 설명)

o (Knowles 담당관) 한국측이 제시한 군수물자 제공 가능 품목을 한국 국방부로부터 받아서 현재 사우디의 미 중앙 사령부(CENTCOM)와 협의중인 바, 금주중 사우디로부터 회답이 올 것으로 예상됨.

0080

2. 제4차 조정국 회의 결과

가. 일시 및 장소

- 91.2.5(화) 10:00-13:00 미 재무부 회의실

나. 참석국(28개국)

- GCC 국가 : 사우디 아라비아, 쿠웨이트, UAE
- EC 국가 : 벨지움, 덴마크, 프랑스, 독일, 아일랜드, 이태리, 룩셈부르크, 화란, 폴투갈, 스페인, 영국
- 기타 구주국가 : 오스트리아, 핀랜드, 아이슬란드, 노르웨이, 스웨덴, 스위스
- 일본, 한국, 카나다, 호주
- 기타 IMF, IBRD, EC, GCC 대표 참석

다. 회의 진행

- Mulford 재무부차관, Kimmitt 국무부 정무차관 공동 주재로 전선국 재정 지원 약속 및 집행현황과 걸프사태의 상황 설명
- IBRD, IMF 대표의 이집트, 터어키, 요르단 경제상황 및 피해규모 평가 설명
- 기존 약속금액의 집행상황 및 추가약속 문제에 대한 각국 대표의 발표

라. Kimmitt 및 Mulford 차관 발언요지

(Kimmitt 차관)

- 걸프전의 목적은 이라크의 쿠웨이트 철수에 있으며 이라크 자체의 파괴에 있지 않으므로 군사 시설만을 공격 목표로 삼고 있음.

- 조정국 회의 참석 국가중 18개국이 연합국에 참전하고 있으며 군사동맹 결속도 그만큼 중요함.

0081

o 요르단의 정치적 노선에도 불구하고 재정지원은 계속 필요함.

(Mulford 차관)

o 현재까지 전선국가에 대한 원조 약속금액 141억불중 66억불만 집행되고
  75억불이 미집행 상태이므로 조속한 집행이 요청됨.

o 터키의 경우 30억불, 요르단의 경우 35억불이 부족한 상태에 있는 바,
  조속한 원조집행, 미할당금의 할당 및 추가약속 등 3가지 문제에 대해
  각국, 특히 사우디, 쿠웨이트, UAE, 불란서, 독일, 일본, 한국 대표의
  설명을 요망함.

마. 한국대표(외무차관) 발언요지

o 한국은 금번 회의 참석 국가중 유일한 비산유 개발 도상국가(Non-oil
  producing developing country)로서, 한국은 재정지원 국가 그룹의
  일원으로 걸프사태 해결에 기여하게 된 것을 기쁘게 생각함.

o 도표에 한국의 총 기여액이 100백만불로 되어 있으나 115백만불로 수정되어야
  하는 바, 이는 이집트 등 일부 국가가 군수물자 대신 생필품 현물지원을
  요청하여 15백만불이 재정지원에 추가되었기 때문임.

o 재정지원 총 115백만불중 95백만불은 이미 한국 국회에서 예산조치가
  끝났기 때문에 원조를 시행하는 데 아무런 문제가 없게 되었음.

o 약속금액의 조속한 집행을 위하여 외무차관이 작년 11월 한국조사단을
  이끌고 이집트, 요르단, 터키, 시리아를 방문하여, 이들 국가들과
  구체적인 원조 필요 분야에 대해 협의를 시작한 바 있으므로, 이에따라
  대부분의 집행이 ¼분기중 가능할 것으로 예견됨.

o 또한 걸프사태로 피해를 입고 있는 동구권 국가중 헝가리, 폴랜드,
  루마니아 및 불가리아에 대하여는 한국이 별도의 광범위한 경제협력
  사업을 시행하고 있음을 밝히고자 함.

0082

○ 비재정분야 군사지원에 있어서는 지난주 한국이 280백만불의 추가 군사
지원을 약속하여 총 원조액이 500백만불에 달하게 되었으며, 그외에
150여명의 의료단을 사우디에 기 파견하였고, 5대의 C-130 군 수송기
지원이 원칙 결정되었음.

사. 차기 회의

○ EC 의장국인 룩셈부르크 대표의 제안에 따라 3월 전반기중 유럽에서 개최
키로 잠정 합의

3. 걸프전 전망과 중동평화 구조 수립(미측 설명 요지)

가. 걸프전 전망

○ 초기단계 미국의 전략은 집중적인 공군력 투입을 통해 (1) 이라크의
공군력을 무력화하고 (2) 생.화학무기 및 핵시설 등 대량 살상무기를
파괴하고 (3) 지휘, 통제, 통신 기능을 마비시키며 (4) 보급 통로를
차단하므로써 (5) 이라크군을 무력화 시키는데 있음.(Rowen 차관보)

○ 이러한 전략목표 달성은 거의 계획된 과정에 따라 진행되고 있고,
지상전이 개시되면 수일내에 끝나지는 않겠지만 수개월 이상 가지도 않을
것으로 전망함.(Rowen 차관보 및 Kimmitt 차관)

○ 지금까지의 공습에도 불구하고 공화국 수비대는 아직 심각한 타격을 받지
않은 것으로 관측되며, 걸프해상에 떠 있는 지상군의 배치에 2주가량 소요
되고 곧 우기가 시작되는 점을 감안할 때 2월중순경 까지는 쿠웨이트 탈환
작전 개시가 필요한 것으로 봄.(CSIS 평가)

○ 일단 지상작전이 개시되면 30일내지 45일 이내에 탈환 목표를 달성할 수
있을 것으로 전망됨.(CSIS 평가)

0083

나. 전후 중동평화 구조와 미국의 역할

  ο 전후 중동평화 확보를 위해서는 군사, 경제, 정치적 측면을 포괄하는 안보
    장치 수립이 필요함.(Kimmitt 차관)

  ο Baker 국무장관이 2.6(수) 의회에서 밝혔듯이 전후 미국은 (1) 이란,
    이라크을 포함한 새로운 지역안보체제(new security arrangement) 구축
    (2) 지역 군비통제 구조 수립 (3) 역내 부국과 빈국간의 격차 해소를
    위한 계획 (4) 이스라엘과 팔레스타인 및 아랍 제국간의 갈등해소책
    (5) 미국의 중동석유 의존도 감소를 위한 종합전략 추구라는 5가지
    목표를 향해 적극적인 역할을 수행코자 할 것임.(CSIS 평가)

  ο 중동지역 질서안정을 위해서는 집단적 안보장치가 필요할 것인 바, 지금
    까지 나온 어떤 구상과는 다른 새로운 처방이 있어야 할 것임.(Abshire
    CSIS 회장, 전 NATO 주재 대사)

  ο 이를 위해서는 필연적으로 일본, 유럽, 한국 등의 경제적 참여(economic
    engagement)가 요청될 것으로 봄.(CSIS Hunter 교수, 전 NSC 중동담당
    보좌관)

4. 기타 사항

가. 아국의 유엔가입 문제

0084

공   란

공   란

2) Pickering 주 유엔 미국대사 면담

* 2.7(목) 13:15-15:00 오찬(배석:미측 Grey 공사, Russel 아주 담당관,
   아측 금정호 참사관)

(한.미 양측간 합의사항)

ㅇ 2월말의 제4차 남.북 고위급 회담에서도 북한이 아측안에 합의해 오지
   않는 경우, 한국은 그 이상 시간을 소비함이 없이 한국의 선 단독
   가입을 위해 필요한 조치를 취하지 않을 수 없음을 명백히 함.

ㅇ 중.소 특히 중국에 대해 아측이 마지막 노력을 경주할 것임을 사전에
   통보하고 상기 내용을 분명히 함.

ㅇ 북한과의 합의 불능시 아국의 선 단독 가입을 추진하되, 북한의 가입을
   유도, 궁극적으로는 동시 가입하는 방향으로 노력함.

ㅇ 가입신청서 제출일자를 사전에 분명히 함으로서 한국의 금년도 가입
   의지를 중국 및 북한에 대해 명백하게 함.

0087

o 한국의 가입을 가능한한 PERM. 5 간의 콘센서스 방향으로 유도함으로써 북한의 저항을 최소화함.

o 중국은 소련의 입장을 많이 감안할 것이므로 소련이 한국 가입에 찬성하는 경우, 중국으로서는 거부권을 행사하기 어려울 것인만큼, 한국은 되도록 소련의 분명한 지지입장 도출을 위해 노력하며, 미국은 별도의 각종 채널을 이용하여 소련과 접촉토록 함.(Bolton 차관보의 Petrovsky 소 외무차관 접촉 및 캄보디아 문제 해결을 위한 PERM. 5 회의등 이용)

o 중국은 안보리 이사국, 비동맹 주도국가 및 아시아 국가들의 태도에 많은 영향을 받을 것임에 비추어 이들 국가에 대한 로비활동을 즉시 개시함. 또한 독일 Genscher 외무장관의 개인적인 영향력과 통일 독일의 대소련 및 EC내 위상을 감안, 독일에 대한 접촉을 강화함.

o 상기 요지의 방향하에 2월중 CG 회의를 개최하여 아측의 공동전략을 수립함.

(외무차관 언급요지)

o 소련의 국내사정에 따른 대외관계의 보수화 가능성, 걸프사태가 성공적으로 일단락되는 경우 예상되는 미국의 지도력 향상 및 유엔안보리내 콘센서스 분위기 그리고 북한측에 대하여 시기적인 긴급성을 줄수 있다는 효과등을 종합적으로 고려하여 사태 추이에 따라 4-5월경 가입 신청서를 제출하되 중국과의 배후 협상을 통하여 표결을 연기하는 전략 가능성에 대하여 미측 견해를 구함.

(Pickering 대사 언급사항)

o 한국문제를 다른 정세에 의존시키는 방안은 불확실성을 증대시키게 된다는 점등으로 소극적인 견해를 표명하고, 미측은 본건 추진에 있어서 어디까지나 한국측이 확고한 주도역할을 해야하며, 미국은 최선을 다하여 지원할 것이나 기본적으로 보조역할 밖에 할수 없음을 강조함.

0088

나. 우루과이 라운드

(Zoellick 자문관 언급요지)

○ UR 협상시 미국과 EC의 입장이 대립되고 있는 가운데 미국과 모든 면에서
   우호협력관게에 있는 한국이 EC 편에 선데 대해 미 행정부와 의회가 매우
   의아하게 생각하고 있음.

○ 한국의 그러한 선택과 근래 일련의 통상관련 조치들에 비추어 한국이
   과연 믿을만한 상대인지에 대해 미국 조야에서 의문이 제기되고 있는
   것은 심각한 문제임.

○ 국제무역의 가장 큰 수혜자중 하나인 한국으로서는 자유무역체제를 유지
   하는 데 적극적인 역할을 해야할 것이며, 89년 이래의 과도기적 경제
   침체를 이유로 개방 정책의 후퇴를 보인다면 한국에 대한 미국의 신뢰는
   손상될 뿐만아니라 한국의 이익에도 부합되지 않을 것임.

(외무차관 언급요지)

○ UR 문제 전반에 있어서는 한국이 미국에 대해 강력한 친화감을 가지고
   임하고 있음.

○ UR 농산물 협상과 관련, 우리 농촌경제의 구조적 문제점 등으로 일시적인
   오해가 있었으나, 기본적으로 미국과 입장을 같이하고 있는 만큼 이러한
   일이 앞으로 결코 부정적 여향을 미쳐서는 안될 것임.

다. 한.미 통상문제

(Zoellick 자문관 언급요지)

○ 지난 1월 한.미 경제협의회후 한국의 전향적 자세로 상황이 호전되고
   있는 만큼 이러한 추세가 계속되기를 바람.

0089

o 미국의 무역정책 결정에 있어 커다란 영향력을 가지고 있는 재무부가
한국에 대해 비판적인 입장을 취하고 있는 바, 재무부의 주요 관심사항인
금융분야 등에 있어서도 계속적인 노력을 경주해 주기를 요망함.

(외무차관 언급요지)

o 아국은 한.미 통상 전반에 있어 미측의 관심을 충분히 고려토록 최선을
다하고 있으며, 세부대책 수립시 미측 입장을 검토, 반영할 것임.

라. APEC 각료회의 및 말련의 동아시아 공동시장 제안

(Zoellick 자문관 언급요지)

o 현 미국 행정부가 구라파 문제에 많은 시간을 할애하고 있지만, 동북아를
포함한 아태지역의 중요성을 늘 염두에 두고 있음.

o APEC 이 현상의 관리가 아니라 미래의 방향을 설정하는 데 중요한 기능을
할 것으로 기대되며, BAKER 장관과 자신이 금년 10월 각료회의에 참석
토록 추진중임.

o 말련의 동아시아 공동시장 제안에 대해 말련의 최대 수출국인 미국을
제외한 상태에서 동 제안이 실현될 수 있겠는지 의문임. 동 제안이
마하티르 수상 자신의 구상으로 관측되는 만큼 정면에서 즉각적으로
반대할 경우 수상 자신을 곤란하게 할 우려가 있으므로, 시간을 두고
서서히 무산되도록 하는 것이 좋겠다는 것이 미국의 입장임.

(외무차관 언급요지)

o APEC 관련, 현재 가장 중요한 사항중의 하나는 중국의 가입문제임.

o 중국이 지금까지 아국과 이 문제에 대한 공식적 대화를 회피해 왔으나,
최근 무역대표부 개설등 환경이 개선되고 있으므로 협의가 진전될 수
있을 것으로 기대하며, 미국과 긴밀히 협의하여 추진해 나가고자 함.

0090

Ⅲ. 관찰.평가

1. 한국의 다국적군(대미) 지원문제

ㅇ 미 행정부내에서 재무부는 전쟁수행을 위한 재정수요 산정 및 전선국 지원 재정확보, 국방부는 각국의 전비 분담금 활용, 국무부는 주요 동맹국으로 부터의 분담금 확보에 각각 주력하고 있는 것으로 보임.

ㅇ 미 국무부측은 한국이 사우디, 쿠웨이트, UAE 등 중동 산유국과 일본 및 서독과 함께 한국이 다국적군 재정지원을 하고 있는 6개국에 참여하고 있는데 대해 평가를 하면서도, 이들 국가의 분담금이 백억불 이상 또는 몇십억불에 달하고 있음을 감안, 한국의 총 지원금이 외형상으로나마 billion 달러선으로 확대되기를 기대하는 것으로 분석됨.

ㅇ 그러나 이러한 기대는 걸프전 종전후 의회나 국내여론에 있어 한국이 실질적 으로 기여했다는 평가를 받는데 필요하다는 판단과 동맹국 전체의 재정지원 모양을 좋게 한다는 필요에서 나온 것으로 관측되며, 기존 대규모 전비 부담국들이 약속한 금액의 어떤 부족액을 보충하기 위한 것으로는 보이지 않음.

ㅇ 전비분담 문제를 담당하고 있는 Kimmitt 정무차관은 외무차관과의 면담시 외무차관이 아국의 경제.재정적 어려움과 현 수준이상 지원 추진시 정치적 문제 야기 소지를 언급한데 대해, 미국으로서는 일본, 서독 등을 key members of coalition으로 갖고 있는 만큼, 한국에 대해 심각한 문제를 야기시키는 것은 원치 않으며, 전선국에 대한 재정 및 물자지원 증액등을 통해 총 지원 약속 규모를 확대하므로써 한.미 양측의 사정을 타협할 수 있을 것으로 본다고 언급한 데서도 나타나고 있음.

2. 전선국 재정지원 문제

o 미측은 28개국의 이집트, 터키, 요르단에 대한 경제지원 약속 금액이 당장 효과적으로 집행되는 것도 중요한 한편, 앞으로 종전후 지역경제 안정구조 수립에 있어서도 각국의 지원이 필요한 점을 감안, 가능한 약속 규모도 최대한으로 증대시키고자 하는 것으로 보임.

o 또한 약속액의 조기 집행 및 추가약속 확보를위해 재정지원 조정국 회의를 빈번하고 거의 주기적으로 개최하여 재정지원의 제도화를 도모하고 있는 것으로 관찰됨.

o 한편 미국외의 다른 주요 지원국들은 수원국의 수원 태세가 되어 있지 않음에도 불구하고 미국이 조기 집행을 독촉하는데 대해 다소 불편하게 여기면서도 일단은 수동적으로 응해가고 있는 것으로 보임.(조정국 회의시 일본 재무차관의 발언등)

3. 전쟁전망 및 전후 안정 구조

o 2월 중순경 쿠웨이트 탈환 지상전을 개시할 것이라는 관측이 많으며, 이경우 작전은 늦어도 3월말까지는 끝낸다는 것이 미국의 계획으로 보임.

o 미국은 전후 중동질서 수립에 있어 군사, 경제, 정치를 포함한 포괄적 안정 구조 수립을 강조하면서 적정 규모의 미군사력(해.공군 중심) 주둔에 필요한 각국의 지지 확보와 새로운 중동질서의 수립과 유지에 필요할 주요 동맹국 들의 적극적 참여 및 지원 요청을 미리 시사하고 있는 것으로 평가됨.

0092

4. 대응방안(걸프지원 문제)

o 이상 아국의 추가지원 기대에 대한 미측의 사정과 입장을 평가해 볼때 당장
  아국이 제2차 추가지원을 추진하는 것은 다소 이르다고 판단됨.

o 그러나 아국의 총 지원규모 증대에 대한 미국의 기대는 계속될 것인 만큼,
  2월중 예상되는 지상전의 전황내지 결과를 관찰하면서 국내사정이 허락하는
  범위내에서 3월 제5차 조정국 회의전에 전선국에 대한 재정 및 물자지원을
  발표하는 방안을 검토할 필요가 있음.

o 또한 아국의 지원규모 산출 및 발표에 있어 반드시 대미 현금지원 부분에도
  유의해야 하며 동시에 걸프사태 총 지원액의 규모에 대하여 고려를 하는
  것이 중요하다고 판단됨.

o 미국은 중동전 이후 새국제질서 모색에서 주도자(Leader)가 될 것인 바,
  아국의 대미관계는 여러가지 면에서 잘 관리해 둠이 아국의 국익 차원에서
  필요할 것임.

첨 부 : 1. 걸프사태 재정지원 조정그룹 회의 의제
        2. 걸프사태 관련 각국 재정지원 현황표.   끝.

예 고 : 91.12.31.일반

0093

GULF CRISIS FINANCIAL COORDINATION GROUP

February 5, 1991

AGENDA

I.   Introduction by Chair

II. Political Overview

III. Presentation by IMF and World Bank

    A.   IMF/World Bank Responses to Gulf Crisis

    B.   Economic Developments in and Status of Discussions with Egypt, Turkey, and Jordan

IV. Status of Commitments and Disbursements

    A.   Report of Working Committee on Commitments and Disbursements

    B.   Prospects for Acceleration of Disbursements

    C.   Additional Commitments for 1991

V.   Next Steps

0094

1/31/91

GULF CRISIS FINANCIAL ASSISTANCE *
TERMS AND CONDITIONS – 1990/91
(Millions of U.S. Dollars)

	Balance of Payments			Project Financing	Co-Financing	Unspecified	TOTAL
	Grants	In Kind	Loans				
GCC STATES 1/	1075	1420	100	1050	0	2703	6348
Saudi Arabia	1000	1160		500		188	2848
Kuwait	75	10	100	550		1765	2500
UAE		250				750	1000
EC	662	6	111	0	7	1397	2183
EC Budget	78					682	760
Bilateral:	584	6	111		7	715	1423
Belgium						*33*	*33*
Denmark	*21*					*9*	*30*
France						*200*	*200*
Germany	*414*		*13*			*468*	*895*
Ireland		*6*					*6*
Italy	*88*		*62*				*150*
Luxembourg	*4*						*4*
Netherlands	*56*				*7*		*63*
Portugal	*1*						*1*
Spain			*36*				*36*
U.K.						*5*	*5*
OTHER EUROPE/AUSTRALIA	45	1	0	0	0	179	225
Australia		1				13	14
Austria						11	11
Finland						11	11
Iceland						3	3
Norway						32	32
Sweden	45						45
Switzerland						109	109
JAPAN 2/	90	1	648	194	157	1026	2116
CANADA	66						66
KOREA		60	23				83
TOTAL	1938	1488	882	1244	164	5305	11021

* Does not include contribution to multinational force. Totals may not equal sum of components due to rounding. Includes assistance to Egypt, Turkey, and Jordan.
Based on data submitted to the Coordinating Group.
1/ Project financing for Egypt is on grant basis. 2/ Balance of payments loans are 30 years at 1% interest. Project financing is loans, terms not yet specified.

GULF CRISIS FINANCIAL ASSISTANCE *
1990–91 COMMITMENTS AND DISBURSEMENTS

(Millions of U.S. Dollars)

	TOTAL Commit.	Disb. to Date	Future Disb.	Egypt Commit.	Disb. to Date	Future Disb.	Turkey Commit.	Disb. to Date	Future Disb.	Jordan Commit.	Disb. to Date	Future Disb.	Unallocated 1/ Commit.	Disb. to Date	Future Disb.	Other States Commit.	Disb. to Date	Future Disb.	GRAND TOTAL Commit.	Disb. to Date	Future Disb.
GCC STATES 2/	6348	3012	3336	3123	2263	860	2060	682	1378	0	0	0	1165	67	1098	2950	2129	821	9298	5141	4157
Saudi Arabia 3/	2848	1570	1278	1688	1288	400	1160	282	878	0	0	0	0	0	0	1503	1103	400	4351	2673	1678
Kuwait	2500	855	1645	1015	555	460	550	300	250	0	0	0	935	0	935	1184	763	421	3684	1618	2066
UAE 3/	1000	587	413	420	420	0	350	100	250	0	0	0	230	67	163	263	263	0	1263	850	413
EC	2184	515	1669	1125	194	931	431	87	344	452	168	283	176	66	110	108	0	108	2292	515	1777
EC Budget	760	78	682	254	16	239	240	2	239	214	10	204	51	51	0	0	0	0	760	78	682
Bilateral:	1424	437	987	871	178	693	191	85	106	237	159	79	125	15	110	108	0	108	1532	437	1095
Belgium	33	7	26	16	6	10	7	0	7	10	1	9	0	0	0	0	0	0	33	7	26
Denmark	30	4	26	20	0	20	0	0	0	0	0	0	10	4	6	0	0	0	30	4	26
France 4/	200	0	200	50	0	50	30	0	30	20	0	20	100	0	100	30	0	30	230	0	230
Germany	895	362	533	673	154	519	74	74	0	148	134	14	0	0	0	69	0	69	964	362	602
Ireland	6	0	6	6	0	6	0	0	0	0	0	0	0	0	0	0	0	0	6	0	6
Italy 5/	150	4	146	75	0	75	49	0	49	27	4	23	1	1	0	9	0	9	159	4	155
Luxembourg	4	1	3	1	0	1	0	0	0	1	0	1	1	1	0	0	0	0	4	1	18
Netherlands	63	45	18	18	18	0	18	11	7	18	11	7	9	5	4	0	0	0	63	45	18
Portugal	1	0	1	0	0	0	0	0	0	0	0	0	0	0	0	0	0	0	1	1	0
Spain	36	9	27	12	0	12	11	0	11	14	9	5	0	0	0	36	9	27
U.K.	5	5	0	0	0	0	0	0	0	0	0	0	5	5	0	0	0	0	5	5	0
OTHER EUROPE/AUSTRALIA	225	49	175	13	2	11	9	2	7	37	18	19	165	27	138	21	21	0	246	70	175
Australia	14	3	11	1	1	0	0	0	0	0	0	0	13	3	10	0	0	0	14	3	11
Austria	11	1	10	0	0	0	0	0	0	9	0	9	2	1	1	0	0	0	11	1	10
Finland	11	0	11	0	0	0	0	0	0	1	0	1	11	0	11	0	0	0	11	1	11
Iceland	3	2	1	0	0	0	1	0	1	1	0	1	1	1	0	0	0	0	3	2	1
Norway	32	14	18	2	2	0	5	2	3	2	2	0	23	8	15	21	21	0	53	35	18
Sweden	45	21	24	10	0	10	4	0	4	26	16	10	6	5	1	0	0	0	45	21	24
Switzerland	109	9	100	0	0	0	0	0	0	0	0	0	109	9	100	0	0	0	109	9	100
Subtotal 6/	2116	445	1671	444	0	444	320	218	102	266	167	99	1086	60	1026	21	21	0	2116	445	1671
CANADA	66	17	49	22	0	22	4	0	4	23	0	23	17	17	0	0	0	0	66	17	49
KOREA	83	5	78	23	0	23	20	5	15	15	0	15	25	0	25	17	2	15	100	7	93
(a) TOTAL COMMITMENTS	11021	4043	6978	4751	2459	2292	2844	994	1850	793	354	439	2634	237	2397	3096	2152	944	14117	6195	7922
(b) EST. EFFECT OF GULF CRISIS 7/	13580	13580	-	3375	3375	-	5910	5910	-	4295	4295	-	-	-	-	-	-	-	-	-	-
DIFFERENCE (a minus b)	-2559	-9537	-	1376	-916	-	-3066	-4916	-	-3502	-3941	-	-	-	-	-	-	-	-	-	-

Does not include contributions to the multinational force. Totals may not equal sum of components due to rounding. Based on data submitted to the Coordinating Group. 1/ Unallocated among Egypt, Jordan, and Turkey. Includes general humanitarian assistance. 2/ GCC financing for "Other States" is for Syria, Morocco, Lebanon, Somalia, and Djibouti. 3/ Grant oil to Turkey: $1160 million from Saudi Arabia and $250 million from the UAE. 4/ Protocols for $130 million / grand total were signed by end-November. Aid to "Other States" is for Morocco. 5/ Italian aid to "Other States" is for Somalia. 6/ All GOI procedures for $322 million to Egypt completed; awaiting parliamentary approval in Egypt. 7/ IMF/World Bank estimates (oil at $31/barrel) circulated to Group shown for illustrative purposes. Not intended to represent precise figure of impact.

0096

TABLE A

GULF CRISIS FINANCIAL ASSISTANCE *

($ Billions – as of 2/5/91)

Donor/Creditor	Commitments
GULF STATES	9.3
EUROPEAN COMMUNITY	2.3
JAPAN	2.1
OTHER	0.4
TOTAL	14.1

* Includes all commitments to date for extraordinary economic assistance in 1990 and 1991. Does not include contributions to the multinational force, existing bilateral assistance, or funds made available by the IMF and World Bank.

<u>TABLE B</u>

GULF CRISIS FINANCIAL ASSISTANCE *

($ Billions – as of 2/5/91)

Donor/Creditor	Total Commitments	1990–91 Commitments		Other States
		Egypt/Turkey/Jordan	Unallocated	
STATES	9.3	6.1	0.2	3.0
ROPEAN MMUNITY	2.3	2.0	0.2	0.1
PAN	2.1	2.0	0.1	0.0
HER	0.4	0.2	0.2	0.0
TOTAL	14.1	10.3	0.7	3.1

ncludes all commitments to date for extraordinary economic assistance in 1990 and 1991.
Does not include contributions to the multinational force, existing bilateral
is____nce, or funds made available by the IMF and World Bank.

TABLE C

GULF CRISIS FINANCIAL ASSISTANCE *

($ Billions – as of 2/5/91)

Donor/Creditor	Commitments	Disbursements
GULF STATES	9.3	5.4
EUROPEAN COMMUNITY	2.3	~~0.5~~ 0.68
JAPAN	2.1	0.4
OTHER	0.4	0.1
TOTAL	14.1	6.4 / 6.6

* Includes all commitments to date for extraordinary economic assistance in 1990 and 1991. Does not include contributions to the multinational force, existing bilateral assistance, or funds made available by the IMF and World Bank.

걸프사태 재정지원 공여국 조정위원회 회의, 1990-91. 전6권 (V.3 제4차. Washington D.C., 1991.2.5) 353

我国의 걸프戰 支援問題

(外務次官 訪美 結果 報告)

91. 2

外 務 部

0100

> 柳宗夏 外務次官은 걸프事態 財政支援 供與國 調整委
> 會議參席次 91.2.4-2..8間 訪美 機會를 利用, 美
> 國務部 및 國防部 人士들과 我國의 걸프戰 支援問題에
> 관해 協議한바, 結果를 아래 報告드립니다

主要 面談人士

o [키미트] 國務部 政務次官

  * 걸프 支援金 確保위해 対外交涉 責任

o [젤릭] 國務部 諮問官

  * 業務 全般에 관해 國務長官을 자문하며, 3月부터 経済次官
    就任 豫定

o [솔로몬] 國務部 東亞.太 次官補

o [로웬] 國防部 國際安保 次官補 等

걸프戰 財政支援 問題

(美側 立場)

o 韓國側의 最近 支援 決定에 感謝함. 그러나 韓國側
  決定 通報와 美側要請 傳達이 時間的으로 엇갈린 바,
  美國은 韓國이 支援規模를 보다 增大시키기를 希望함

0101

o 總 戰費 推算額 600億弗中 日本이 90億弗, 獨逸이
  55億弗을 追加 負擔하는 것을 勘案하고, 다음과 같은
  事項을 考慮할때 韓國도 美側이 希望하는 정도의 支援을
  해야 美議會나 輿論으로부터 實質的 寄與를 했다고
  評價받을 수 있다고 봄

  - 韓.美 安保 同盟關係

  - 各國의 GNP 比較 및 年間 9%에 달하는 韓國의
    經濟成長率

  - 通商問題에 대한 美議會內의 對韓 批判 雰圍氣

  - 最近 韓國의 對蘇 30億弗 經濟援助

  - 向後 中東地域에 대한 韓國의 利害關係

(我側説明)

o 금번 韓國政府의 決定은 걸프事態 解決을 위한 美國의
  努力을 全幅 支持하고, 盧大統領이 부쉬 大統領의
  政策을 돕고자 하는 友誼의 表示임

o 總 5億弗 規模의 支援과 醫療團 및 輸送團 派遣은
  全體 所要 規模에 비해 적은 部分에 不過하나 韓國의
  어려운 經濟事情에 비추어 他國의 支援에 못지않은
  큰 寄與임

0102

o 韓國은 美國을 支援코자 하는 意思와 熱意가 있으나,
  다만 支援 能力을 判斷하는데 있어 日本과의
  산술적인 GNP 比較에 立脚하는 것은 現實的이지
  못하며, 다음과 같은 全體的 事情을 勘案해야 함

  - 日本이 GNP의 1%를 防衛費로 支出하고 있는데
    비해 韓國은 韓.美 共同防衛를 위하여 美國의
    同盟國中 가장 높은 4.3%를 國防費에 投入하고
    있음

  - 日本은 總 3,000億弗의 對外純資産, 年間
    600億弗 規模의 貿易黑字를 記錄하고 있는데 비해
    韓國은 純外債國이고 貿易入超國임

  - 國家의 租稅政策도 高所得者에게 累進稅率을 適用
    하는 것이 衡平의 原理에 맞듯이 걸프支援 能力
    判斷에도 이 原理가 適用되어야 함

  - 90-91年의 國內 經濟事情이 극히 惡化되고 있음
    (國際收支, 物價等 數値를 들어가며 詳細 說明)

  - 91年 地方選擧 및 92年 國會議員 選擧等 政治
    日程도 큰 負擔이 됨

  - 對蘇 經濟協力은 全的으로 商業的 借款이며, 韓國의
    經濟浮揚效果, 蘇聯의 對北 政治的 影響力을 考慮
    한 것이나, 政府 豫算 支出은 全無함

0103

ㅇ 만약 韓國政府가 美側이 希望하는 規模의 支援을
推進하는 경우 現 國內 經濟 및 政治狀況에 비추어
볼때 심각한 國民的 반발을 誘發할 것이 確實하며,
이는 長期的인 次元에서 韓.美 安保協力과 防衛費
分擔 雰圍氣에 否定的 影響을 미칠 것임

(我側 説明에 對한 美側 反應)

ㅇ 당장은 韓國의 寄與에 대한 美國內 批判은 없으나,
地上戰 開始와 人命被害가 增加하면, 美國의 友邦
들이 무엇을 했는가에 대한 評價가 대두될 것임

ㅇ 韓國의 國內事情이 어렵다는 것은 理解하겠으나
美國內 事情도 있으므로, 兩側 事情을 考慮하여
韓國이 戰費 支援보다 周邊國 經濟支援 分野에
融通性을 發揮하는 方案을 檢討해 보기 바람
(本 支援問題 主 責任者인 "키미트" 次官 意見)

- 日本.西獨等 大規模 支援國이 있으므로 實際
戰費 支援보다 대의회 및 輿論 目的에서 全體
外形을 增大하여 發表하고 실제 支援은 今年
下半期로 미루는 方案 示唆

ㅇ 美 行政府로서는 韓國의 對蘇經協 內容 説明을 理解
하나 美議會와 國民은 總規模와 償還 能力이 不透明한
蘇聯을 支援한다는 事實만 勘案할 것임

評価 및 観察

o 美側은 당초 本 代表團에게 一定 規模의 追加 金額을
提示할 意圖였으나 韓國의 지극히 어려운 經濟 및
政治事情 説明을 聽取하고 一般的인 增額 要請만
言及한 것으로 보임

o 지난번 我國에 대한 一定金額 規模 提示는 모든
與件을 考慮하여 엄격히 計算된 金額이라기 보다는
總戰費, 日. 獨의 分擔金 및 各國의 GNP, 美議會에
대한 考慮 等을 勘案하여 다분히 자의적으로 정한
金額으로 觀察됨

o 美 國防部側은 增額 要請을 示唆하지 않고, 단지
280百萬弗을 現金等 可及的 使用하기 쉬운 形態로
支援하여 줄 것을 要望함

o 韓國의 支援金이 日本이나 獨逸의 GNP에 대한
單純比率이 되어서는 안된다는 점(특히 我國의 防衛
分擔)에 대해서는 상당히 이해가 되었으나, 韓國
經濟가 극히 어려운 狀況에 처해 있다는 점과 我國의
對蘇 經協 規模등에 誤解를 해서도 안된다는 我側의
説明에 대하여는 美 議會 및 國民을 理解시키기
어렵다는 反應을 보임

0105

o 美側이 多國籍軍 戰費에 대하여는 增額치 않더라도
  周邊國에 대한 經濟支援은 繼續 要請한다는 뜻은
  周邊國 經濟支援이 必要해서라기 보다 總規模를
  올렸으면 하는 希望으로 理解해야 할 것임

  * 本 代表団은 美側의 要請은 물론 本国에 報告하겠으나,
    韓国의 經濟能力으로 보아 追加支援이 不可能하다는 점은
    分明히 함

向後 対処方案

o 駐韓 美大使에 대하여 韓國 經濟가 어렵다는 점을
  繼續 說得力 있게 說明하여 同 大使가 本國에 대해
  韓國의 追加 負擔이. 現實的으로 어렵다는 客観的 観察
  報告를 하는 境遇 도움이 될 것임

o 美國 政府에 대하여는 서울과 워싱톤에서 追加 支援이
  어렵다는 점을 繼續 浮刻해야 할 것임

o 3月 구라파地域에서 周邊國支援 調整會議가 開催되는바,
  이 時期以前까지 我側의 周邊國 追加支援 與否를 決定,
  알려주어야 함

o 美 議會 및 言論에 대해서는 韓國의 分擔 規模가
  미흡하다는 見解가 나올 것에 事前 對備함이 必要함

                                          - 끝 -

                                                    0106